DU MÊME AUTEUR

Aux Éditions Gallimard

SOTOS, *roman*, 1993 (Folio, n° 2708).

ASSASSINS, *roman*, 1994 (Folio, n° 2845).

CRIMINELS, *roman*, 1996 (Folio, n° 3135).

SAINTE-BOB, *roman*, 1998 (Folio, n° 3324).

VERS CHEZ LES BLANCS, *roman*, 2000 (Folio, n° 3574).

ÇA, C'EST UN BAISER, *roman*, 2002 (Folio, n° 4027).

FRICTIONS, *roman*, 2003 (Folio, n° 4178).

IMPURETÉS, *roman*, 2005 (Folio, n° 4400).

MISE EN BOUCHE, *récit*, 2008 (Folio, n° 4758).

IMPARDONNABLES, *roman*, 2009 (Folio, n° 5075).

INCIDENCES, *roman*, 2010 (Folio, n° 5303).

VENGEANCES, *roman*, 2011 (Folio, n° 5490).

« OH... », *roman*, 2012 (Folio, n° 5704).

LOVE SONG, *roman*, 2013 (Folio, n° 5911).

CHÉRI, CHÉRI, *roman*, 2014 (Folio, n° 6098).

VOYAGES, *en coédition avec Musée du Louvre Éditions*, 2014.

DISPERSEZ-VOUS, RALLIEZ-VOUS, *roman*, 2015 (Folio, n° 6293).

MARLÈNE, *roman*, 2017 (Folio, n° 6537).

À L'AUBE, *roman*, 2018.

Aux Éditions Futuropolis

MISE EN BOUCHE, avec Jean-Philippe Peyraud, 2008.

LUI, avec Jean-Philippe Peyraud, 2010.

Aux Éditions Bernard Barrault

50 CONTRE 1, *histoires*, 1981.

Suite des œuvres de Philippe Djian en fin de volume

LES INÉQUITABLES

PHILIPPE DJIAN

LES INÉQUITABLES

roman

GALLIMARD

Mais il voulait qu'elle enlève ses mains, qu'elle cesse de le toucher, qu'elle s'écarte, disparaisse, il essayait de lui dire de ficher le camp, de rentrer, mais il avait la bouche pleine de sang et elle refusait de le lâcher.

Prends mon mouchoir, dit-elle.

Il la repoussa brusquement. Elle trébucha, fit quelques pas en arrière et s'immobilisa dans le halo du lampadaire qui éclairait la rue encore mouillée. Il la fixa durant quelques secondes et la trouva si belle qu'il en oublia un instant la douleur, le feu qui courait sur son visage. Diana approchait de la cinquantaine. Parfois, il n'en croyait pas ses yeux. Elle était plus belle que toutes les femmes qu'il avait connues. Il baissa la tête. La plupart de leurs sorties se terminaient par des coups de poing dans la gueule, il y avait toujours un type qui la voulait, un type qui devenait fou après avoir posé le regard sur elle.

Pour finir, il se laissa choir sur le siège du passager et boucla sa ceinture.

Me touche pas s'il te plaît, dit-il. Conduis.

La route sinuait, longeant l'océan — la lune filait sur la crête des vagues, en contrebas —, ce qui n'empêchait pas Diana de tendre une main pour lui caresser la joue dans un virage ou de l'interroger du regard en mordant sur le bas-côté.

Il ouvrit son carreau pour cracher. Du bout de la langue, il sentait sa dent qui bougeait.

Ma couronne est foutue, je crois.

Elle poussa un soupir. On va regarder ça.

Il dit je suis fatigué.

Elle dit je vais te donner un truc pour la nuit.

Elle gara la voiture devant la maison. Il déclara qu'il n'avait pas besoin de son aide pour monter à l'appartement. Elle le fit tout de même passer par le cabinet, se rincer la bouche. Elle l'installa sur le fauteuil, enfila des gants de latex et put constater que la prémolaire de Marc effectivement branlait.

Bon, ça peut attendre demain, décida-t-elle. Je te prendrai en urgence.

Il vida son gobelet de plastique et cracha un jet de sang mêlé à du bleu au parfum mentholé. Dehors le vent soufflait, ronflait derrière les vitres. Elle éteignit sa lampe frontale, jeta ses gants dans une corbeille.

Tu aurais pu éviter ça, dit-elle. Ce n'était pas nécessaire.

Il monta à l'appartement, puis dans sa chambre. Il avait mal partout, il grimaçait, était d'une humeur de chien, il avait sous-estimé la carrure du gars en raison de la pénombre et il n'avait dû la vie qu'à l'intervention de

Diana qui les avait séparés après qu'il s'était pris une méchante droite, un vrai missile qui l'avait gelé sur place.

Il se lavait les dents avec précaution lorsqu'il entendit Diana qui entrait et refermait la porte derrière elle, mettait les verrous.

Une minute plus tard, elle s'encadrait dans la porte de la salle de bains et lui tendait une plaquette d'antidouleurs, il n'avait qu'à en prendre deux, en alternance avec de l'aspirine. Il cracha de nouveau, c'était plutôt rose à présent, mélangé à une espèce de mousse.

Ne reste pas là, va te coucher, lui dit-il. Mets-les sur la table de nuit.

Elle lui demanda s'il savait qui c'était. Il répondit non, et qu'il n'avait pas envie de le savoir. Je sais simplement qu'il m'a foutu une dent en l'air.

Il se rinça une dernière fois la bouche. Il sentait son cœur battre contre sa joue. De retour dans sa chambre, il la trouva assise au coin de son lit.

C'est le fils du maire, annonça-t-elle. Il fait de la boxe.

Ça arrive.

Je ne sais même pas d'où il sortait. Je lui ai à peine adressé la parole.

Bon, dit-il, si ça ne te gêne pas, j'aimerais me coucher. Tu devrais regarder la télé. Ça t'aidera à t'endormir.

Tu bois trop, je voulais te le dire, ça te rend agressif. Tu les cherches.

Il regarda ailleurs. Une image de son père lui traversa l'esprit, un homme fou qui n'avait peur de rien, qui giflait les passants en pleine rue s'ils faisaient de l'œil à sa femme, qui cognait ceux qui la sifflaient.

Je ne savais pas que ce connard avait un fils, déclara-t-il.

Non, mais tu bois vraiment trop. C'est mauvais.

Elle le suivit dans la cuisine tandis qu'il se servait un Perrier. Il fit rouler la canette glacée contre sa joue avant de l'ouvrir. Il avait assez mal. En général, on n'en parlait plus au bout de quelques jours — sauf la fois où on lui avait esquinté une côte en le projetant contre une table. Ça ne l'inquiétait pas trop. Sa mâchoire était douloureuse, mais elle fonctionnait, c'était le principal.

Diana se tenait dans son dos. S'il te plaît, lui dit-il, épargne-moi la leçon, tu veux.

Elle resta sans bouger un instant. Le frigo se remit en marche.

On s'occupera de ta dent demain matin, dit-elle.

Elle était pieds nus. Comme dentiste, elle n'était pas extra-ordinaire mais suffisamment bonne, correctement outillée, et son cabinet marchait bien. Dans la journée, elle faisait beaucoup plus sérieuse. Quand ils sortaient, bien sûr, c'était autre chose. Elle ne se rendait compte de rien.

Elle décida de manger un yaourt. Le vent soufflait de la terre, un vent d'automne coriace, humide et froid qui ululait derrière la porte comme un fantôme de comédie.

L'inconvénient de se trouver à proximité de l'océan. Le sel mangeait tout. Les peintures commençaient à s'écailler sur les boiseries, il fallait régulièrement repeindre les avancées de toits, les balcons. Mais la vue compensait, la vue n'avait pas de prix. Son frère l'avait répété à longueur de temps. Dès qu'il sortait de bon matin, Patrick s'arrêtait sur le seuil et inspectait l'horizon, ça ne ratait jamais, peu importait le temps, il prenait quelques longues inspirations, puis baissait la tête, satisfait, avant de descendre les quelques marches en clopinant vers la voiture où Marc l'attendait, griffonnant quelques lignes dans son carnet.

À quoi penses-tu, demanda-t-elle.

Je vais te dire, on s'en fout que ce soit le fils du maire. Elle termina son yaourt. Il posa le pied sur la pédale de la poubelle et le couvercle s'ouvrit. Le pot disparut à l'intérieur.

Elle soupira. J'ai appris une drôle de chose, aujourd'hui. Figure-toi que nous avons deux cerveaux.

Tiens donc. Deux cerveaux. Tiens donc.

L'intestin est notre second cerveau. Je ne sais pas si c'est une bonne ou une mauvaise nouvelle.

Il haussa les épaules, il n'en savait rien, et se tourna de nouveau vers la fenêtre. D'accord, déclara-t-il, je l'ai frappé le premier mais j'avais pas le choix. Cogner le premier, c'est souvent la meilleure chose à faire.

Mais bien sûr.

Il ricana en silence. Ce n'était pas une heure pour boire un Perrier sauf qu'il évitait de se servir un dernier verre devant elle. De l'autre côté de l'avenue, on apercevait des tronçons d'océan entre les maisons, la lune brillait sur l'écume. En dépit du vent, les rouleaux étaient réguliers. On entendait un grondement lointain malgré le double vitrage. Parfois, il fallait même tirer les volets. Surtout de sa chambre. Celle de Diana avait beau être elle aussi en hauteur, sur une mezzanine, elle donnait de l'autre côté, sur le jardin, beaucoup plus silencieuse, et le soleil y dardait ses premiers rayons. Néanmoins, il n'avait rien à redire là-dessus, elle habitait cette maison depuis longtemps, elle était arrivée là bien avant lui.

Je n'y peux rien si le ton monte. Après, ça dépend plus de moi.

Franchement, c'est un vrai plaisir de sortir avec toi.

Je laisse pas ce genre d'abruti te tourner autour, c'est pas compliqué. C'est même pas la peine d'en parler.

Elle secoua la tête. Marc, ça va bientôt faire un an, déclara-t-elle.

Peut-être. Je compte pas vraiment.

Il était presque deux heures du matin mais elle proposa de lui préparer un sandwich avec du pain de mie, tu mangeras de l'autre côté, et il pensa qu'il était sur le point de se coucher un instant plus tôt. Il était d'ailleurs en pyjama. Il se jucha sur un tabouret et la regarda faire, accoudé au bar qui séparait la cuisine de la pièce principale. La maison n'était pas la mieux entretenue du voisinage mais elle avait encore de l'allure. Des touristes s'arrêtaient pour la prendre en photo. Bref. Un portail claquait quelque part, dans les environs, un claquement un peu sinistre. Il n'avait pas faim, mais en général les sandwiches de Diana étaient bons. Il y mordit de bon cœur. Il grimaça soudain en jurant ah, putain, en tapant du pied, en agitant la main, ah putain de putain, en blêmissant. J'ai mordu dans un noyau d'olive, putain. Ah la vache. Ma dent tient plus qu'à un fil, je plaisante pas.

Il attrapa une serviette en papier et cracha un jet de sang.

Fais-moi voir ça, dit-elle. Ouvre la bouche. Je ne comprends pas, elles sont dénoyautées, normalement.

Il ouvrit la main pour lui montrer le noyau qu'il venait de récupérer.

Elle soupira. J'ai bien envie de contacter leur service clientèle, je ne sais pas ce qui me retient. Je leur enverrai la facture, en tout cas. Mais dis adieu à ta couronne.

Il cracha dans l'évier, fit couler l'eau. Le portail continuait de battre, les palmiers qui bordaient l'avenue ployaient en chœur sous les rafales.

Tu es fatigué, lui demanda-t-elle.

Ça va.

Alors on va descendre. Je préfère. Tu saignes pas mal. On y verra plus clair demain matin.

Il n'était pas très chaud pour une visite séance tenante chez le dentiste, il ne se sentait pas préparé, pas du tout en condition, mais une sorte d'instinct de survie le poussa à rejoindre Diana dans l'escalier, un mouchoir maculé de sang sur la bouche.

À mi-chemin, cependant, il fit demi-tour, remonta dans sa chambre à toute allure, siffla trois longues gorgées de gin, frissonna, puis il redescendit, la main sur la rampe, il se sentait mieux.

La porte du cabinet était ouverte. Il marcha directement vers le fauteuil. S'y assit sans s'allonger, ouvrit la bouche.

Elle lui glissa une compresse du côté de la langue, une autre du côté de la joue.

Attendons, dit-elle. J'aimerais que ça saigne un peu moins. Mais franchement, ils pourraient faire attention. C'est terrifiant. C'est bien la première fois de ma vie que je vois ça.

Ça m'a fait comme une décharge électrique, dit-il. Ça m'est tombé dans les jambes.

Oui, ta dent est en morceaux. Tu n'as pas fait semblant. Elle se pencha au-dessus de lui avec une seringue.

Il lui demanda ce qu'elle entendait par là lorsqu'elle prétendait qu'il saignait beaucoup. Est-ce que ça voulait dire anormalement.

Oui, plus ou moins, répondit-elle. Je l'avais déjà remarqué.

Il fit la moue.

Elle raconta qu'une fois elle avait dû appeler les pompiers.

Je venais de m'installer depuis peu, le cabinet était flambant neuf. Et cette pauvre fille, elle mettait du sang partout. On la couvrait de serviettes-éponges et ça ne servait à rien. On aurait dit un robinet. Impossible de le refermer. En entrant, un des pompiers a glissé dessus comme sur une flaque d'huile, il a volé en l'air et il est tombé brutalement sur le dos, je le revois, incapable de bouger, de parler, sa pâleur, son effroi, ils l'ont emmené sur un brancard, lui aussi. J'étais une jeune dentiste, à l'époque, je sortais à peine de l'école. Je n'avais encore rien vu.

Dehors, le temps se gâtait sérieusement. Il tombait des

trombes d'eau tout à coup, la maison grinçait sous les rafales de vent mais Marc se sentait bien. Il avait réussi à obtenir une solide anesthésie locale et il se sentait bien car il ne sentait rien. Il ne saignait pratiquement plus. Il aimait cette rigidité qui gagnait la moitié de son visage après les piqûres, sa paupière qui tressautait et se figeait pour finir, cette difficulté à parler.

Aussitôt que son frère les avait quittés et que Marc avait emménagé dans l'appartement, elle avait mis certains produits sous clé et c'était bien regrettable. Au moment, sans doute, où il en aurait eu le plus besoin. Où il se sentait littéralement assommé. Il ne lui avait pas adressé la parole durant plusieurs jours.

Elle lui fit un pansement provisoire. Il la remercia du coin des lèvres et reposa ses deux pieds au sol.

Je viendrai frapper à ta porte, dit-elle. Il faudra se lever aux aurores. J'ai deux extractions juste après toi.

D'accord. Je vais prendre l'air cinq minutes, déclara-t-il tandis qu'elle ôtait sa blouse et ses gants, son masque et ce ridicule petit truc qu'elle se mettait sur la tête.

Marc, c'est la tempête dehors.

Je vais rester devant. Je vais pas traîner.

Il y avait une bouteille de gin derrière un bac à fleurs. Il se rendait compte qu'il buvait trop, que ça le rendait agressif. Il aurait fallu être aveugle pour en douter. Mais il n'allait certainement pas l'admettre. Il tourna le dos au vent et s'administra quelques gorgées d'alcool, la moitié dégoulinant le long de son menton, dans son cou, sur sa poitrine, en raison de sa bouche à demi paralysée, incontrôlable.

Il ne pleuvait plus mais le vent ne faiblissait pas. Il devait se tenir presque courbé en deux, ses cheveux lui giflant le visage. Son frère lui manquait tellement, parfois. Ça le frappait sans prévenir, comme un poing qui écrasait son cœur puis le relâchait doucement. Et pourtant, dans quel merdier ce salaud l'avait laissé, quel fardeau, c'était rien de le dire. Diana n'était qu'un souci parmi d'autres, et pas le plus menaçant.

L'avenue était déserte, l'éclairage public tenait bon, les enseignes des magasins étaient éteintes. Les gens restaient barricadés. C'était fort, mais il n'y avait pas de quoi s'envoler. Il rentra au bout de quelques minutes. Il se frictionna les bras en remontant à l'appartement. Elle était déjà en peignoir, installée dans un fauteuil, penchée sur son ordinateur.

Elle leva les yeux sur lui. Tout va bien, lui demanda-t-elle.

Il lui fit signe avec son pouce que c'était parfait. Il lui jeta un dernier regard tandis qu'elle retournait à son écran.

Patrick était d'un caractère lunatique, il avait un air inquiétant et on ne se frottait pas à lui, on évitait, mais avec elle c'était un véritable agneau, un type d'une vraie douceur, un vrai gentleman. Il l'adorait. Personne n'osait faire la moindre blague à ce sujet, même dans son dos. Elle exerçait un étonnant pouvoir sur lui. Il était mort dans ses bras, en lui souriant, en la remerciant pour avoir été là durant toutes ces années. Et il y avait de quoi, songeait Marc en la considérant. On aurait dit une madone. C'était le seul mot qu'il trouvait. Même si elle le faisait chier de temps en temps. Mais c'était normal. Elle n'en restait pas moins une femme. Le mélange des deux était exceptionnel. Ça ne se discutait pas.

Elle leva la tête et l'interrogea du regard.

Il la salua d'un geste militaire et tourna les talons.

Le fils du maire, je suis sur sa page, dit-elle.

Il s'arrêta devant sa porte, il tourna la tête. Et ça dit quoi.

Ça dit qu'il vend des piscines, des spas de nage, déclara-t-elle. Il est marié, ils ont un enfant.

Il secoua la tête. Tu peux me dire ce que fabrique un père de famille, dans une boîte, à deux heures du matin, à se bourrer, à se jeter sur tout ce qui bouge, où est sa femme, hein, qu'est-ce qu'il foutait là.

Oui, mais Marc, ce n'est pas une raison.

Oui, c'est ça, bonne nuit, Diana, fit-il en ouvrant sa porte.

Par ce genre de temps, sa chambre devenait un vrai tambour, le vent ronflait contre les volets, la cloison vibrait sous les ruades. Il ne se calma qu'aux aurores.

C'était comme un moteur d'avion, déclara-t-il, sauf que c'était pas régulier. Ça me faisait sursauter dès que je sombrais.

Pendant qu'elle préparait le terrain pour un implant, il

regardait le jour se lever derrière le verre dépoli des fenêtres, le scintillement des premiers rayons, jusqu'au moment où elle baissa les stores. La bouche grande ouverte, il essayait de penser au moment où il pourrait aller se recoucher car il n'avait pratiquement pas fermé l'œil de la nuit.

Lorsqu'il se releva du fauteuil de torture, le soleil tout entier était passé au-dessus de l'horizon. Du coup, il n'avait plus sommeil. Il enfila un blouson et se dirigea vers la plage. La tempête l'avait balayée toute la nuit. Un bon toilettage. Les dunes étaient vierges et luisantes, il n'y avait pas un chat, c'était encore trop tôt. Il s'en voulait de n'avoir jamais le courage de se lever à l'aube pour profiter du spectacle. Patrick avait rehaussé leur lit et l'avait braqué plein est, mais quant à Marc, il fallait qu'il sorte, il fallait qu'il soit motivé, tenté par la beauté du monde. Ou qu'il se fasse soigner une dent en urgence.

L'air sentait bon. Le sable était encore humide. Il prit ses chaussures à la main et marcha le long de la côte. Il faisait frais, le soleil ne chauffait pas vraiment, il brillait dans la rosée des joncs qui poussaient par touffes, prenait des goélands dans ses rayons sur un fond de ciel chargé, mais lointain, immobile, parcouru d'éclairs silencieux.

Il avait un goût de médicament dans la bouche. Diana semblait avoir fait du bon travail, le sang n'avait pas trop coulé et c'était l'occasion de s'offrir cette balade, avec la plage entière pour lui seul.

Il avisa le premier paquet en posant pratiquement le pied dessus. Échoué à quelques mètres du rivage, porté par les rouleaux de la nuit. De la taille d'un paquet de farine emmailloté de scotch.

Ce n'était pas la première fois que ce genre de chose arrivait. Une histoire de vent, de tempête, on ne savait pas trop, mais qui faisait des gorges chaudes, qui alimentait les conversations dans les bars, les messes basses, les plaisanteries, les vantardises. L'année précédente, il s'agissait de cocaïne. Peut-être une cargaison balancée par-dessus bord ou un naufrage ou Dieu sait quoi, on n'avait jamais su. Ils avaient montré les paquets en gros plans, les policiers qui ratissaient la plage, l'océan farouche qui punissait les méchants, leur faisait rendre gorge, etc.

Son cœur fit un bond puis il se pencha en jetant un regard méfiant autour de lui, mais il n'y avait personne et il attrapa le paquet et le fourra dans son blouson. Il se redressa, tout son corps bouillonnait, ses tempes battaient, les questions se bousculaient. Ça ne l'empêcha pas de scruter les alentours avec l'espoir d'en trouver d'autres, avec la peur, aussi. Il en ramassa un second, à moitié recouvert de sable, puis un troisième au milieu d'un ramassis de coquillages, et il décida de filer.

Il passa devant le cabinet sur la pointe des pieds et monta s'enfermer dans sa chambre. En sueur. Il avait besoin de retrouver son calme, de prendre conscience de ce qui arrivait. Il avait aligné les trois paquets sur la table basse après les avoir déballés et, du fond de son fauteuil, il ne les quittait pas des yeux, il remettait de l'ordre dans ses idées.

La police débarqua sur les lieux en milieu de matinée. De

la fenêtre de sa chambre, il observa quelques instants l'agitation qui régnait à présent sur la plage, les lèche-cul, les curieux sillonnant les parages dans tous les sens, applaudissant l'un d'entre eux quand celui-ci mettait la main sur l'un de ces trucs et le brandissait au-dessus de sa tête avec fierté.

À midi, il en oublia de manger. Il regarda les informations. Il était encore temps de les rendre, d'éviter les ennuis, il le savait. Ils montraient les effectifs de police mobilisés, les volontaires déployés et tous les fayots du coin qui arpentaient et quadrillaient la zone, le nez en avant, semblant renifler et s'exciter comme des chiens bouffeurs de truffe.

Diana prit sa pause et monta manger un morceau avec lui. Il lui expliqua que l'océan avait recraché son lot de produits nocifs, une fois de plus. Elle jeta un coup d'œil à la fenêtre et haussa les épaules. Elle lui demanda si ça allait en sortant de la nourriture du frigo car elle le trouvait pâle, s'il avait mal, s'il se souvenait qu'elle avait une réunion ce soir, qu'il ne faudrait pas l'attendre.

Il ne répondit rien et découpa quelques tranches de rosbif de la veille en prenant son temps. Les lueurs pâlottes d'un gyrophare traversèrent le plafond en diagonale.

Je ne t'empêche pas de faire ce que tu veux, dit-il. Simplement, je ne veux pas le voir, c'est tout.

Oui, j'avais compris.

Alors ne me le fais pas répéter, répondit-il sur un ton aimable. Ne fais pas ça devant moi, c'est tout ce que je demande. Je ne vais pas me greffer des yeux dans le dos.

Ils partagèrent une bière blanche. Il m'a appelée, ce matin, déclara Diana.

Il leva les yeux sur elle.

Il veut me revoir, poursuivit-elle.

Marc considéra le contenu de son assiette en souriant méchamment. Le fils de pute, fit-il en secouant la tête.

Je lui ai demandé s'il rêvait, précisa-t-elle, je lui ai dit qu'il ne manquait pas de culot.

Sacrée litote, ricana-t-il.

J'ai failli ne pas t'en parler. En tout cas, j'ai raccroché. Elle n'allait jamais chercher plus loin. En s'empoignant avec Marc, en levant une seule main sur lui, l'intrus n'avait plus la moindre chance avec elle, il s'éliminait d'emblée, devenait invisible, transparent, il n'existait plus, et le fils du maire venait de prendre le même chemin que les autres, à l'entendre, de passer à la même trappe. Marc se leva et se posta de nouveau devant la fenêtre. Il se faisait l'effet d'écoper une barque qui ne cessait jamais de se remplir, d'être celui qui roulait son rocher.

Le crépuscule commençait à s'annoncer lorsqu'elle monta pour se changer. Il resta dans sa chambre pour éviter de la croiser en petite tenue. Il se sentait nerveux à l'idée de sortir avec un kilo de poudre dans les poches. Sans être sûr que Joël marcherait. Ce dernier n'avait pas été très aimable au bout du fil, son ulcère devait sans doute lui jouer des tours.

Mais qu'est-ce que tu veux que je fasse avec ça, grimaça Joël. Retire ce truc de mon bureau. Patrick serait là, il te botterait le cul.

Pourquoi ça.

À ton avis.

Marc fit la moue et se pencha pour reprendre son paquet, mais Joël mit la main dessus. Il demanda si Diana était au courant. Marc répondit par la négative.

Parce que j'ai pas envie que ça me retombe dessus d'une manière ou d'une autre, déclara Joël.

Marc se redressa, se laissa de nouveau aller contre le dossier de son siège. Elle sera au courant de rien, dit-il. Bien entendu, non mais attends, bien entendu, quelle idée, je vis avec elle, je vais pas risquer d'empoisonner l'ambiance.

Oui, on n'a pas besoin de ça, opina Joël. Comment elle va.

Il se leva et contourna son bureau.

Ça a l'air d'aller, répondit Marc. Elle travaille, on sort, on va boire un verre. Le soir, je suis là.

Joël lui posa une main sur l'épaule et poussa un faible soupir avant d'attraper deux verres. Laisse-moi quarante-huit heures pour ton histoire, dit-il, je vais voir ce que je peux faire.

Quand j'y pense, fit Marc en tendant son verre. Je me promène jamais sur la plage et encore moins au petit jour, il y a pratiquement aucune chance pour que ça arrive, c'est pas mon truc, mais bon. N'empêche que. Une chose en a entraîné une autre et je me suis retrouvé aux aurores, à marcher au bord de l'océan en compagnie des mouettes. Et quand par hasard j'ai baissé les yeux, le paquet était là, à mes pieds. Je sais pas si je dois aller brûler un cierge quelque part.

C'est toujours mieux. Ça prend à peine une minute.

Le bureau de Joël donnait sur le port. Il y dormait depuis quelques jours, assez mal de son point de vue. Son mariage était en train de tourner au désastre. Il ne rentrait chez lui que pour prendre une douche et se changer. Le comble était qu'elle payait l'avocat avec leur compte commun.

Quand j'ai appris ça, j'ai failli éclater de rire, annonça-t-il. J'ai pensé voilà une femme qui ne perd pas le nord.

Je me fais pas de mauvais sang pour Brigitte, déclara Marc en se passant une main dans les cheveux. Elle a la tête sur les épaules.

Plus jamais j'épouserai une fille plus jeune que moi, fit Joël en remplissant les verres. J'ai été présomptueux, rien d'autre, et je le paye aujourd'hui. J'ai attendu d'avoir soixante ans pour le comprendre, j'ai fait comme si je ne voyais pas le problème.

Marc trouvait qu'il avait encore de l'allure pour un homme de son âge. Ça ne donnait pas envie de vieillir plus vite, mais ça rendait la chose moins terrifiante.

Toi, je ne sais pas comment tu fais, reprit Joël. Tu es immunisé. Tu ne connais pas ta chance, tu es tranquille, moi, je me fais encore avoir. Il faut croire que j'aime ça, non, il faut croire que je le mérite. À l'époque, Diana

25

n'osait même plus me présenter ses copines. Je les voulais toutes.

Il déplia son canapé-lit avec un rictus.

Sur le chemin du retour, plutôt revigoré, Marc croisa les doigts. Il tâchait de ne pas trop se réjouir d'avance, mais il se voyait déjà payer ses dettes et se remettre à jouer. Joël finirait par trouver les bons contacts et l'affaire serait vite réglée, se disait-il en jetant un coup d'œil sur le ciel qui s'étoilait, augurant une nuit calme et silencieuse. Il allait pouvoir dormir.

Diana n'était pas rentrée. Il regarda l'heure et s'installa dans le salon pour lire un peu. Il se sentait bien mieux que la veille, il se sentait bien plus léger. Il desserra son nœud de cravate et croisa les jambes sur la table basse.

Il appela Diana, mais elle ne répondit pas. Il était onze heures passées. Il resta dans la pénombre puis se leva pour se servir un verre. En passant devant la fenêtre, il remarqua des lumières sur la plage, des silhouettes sombres qui s'agitaient au loin, mais le croissant de lune était si mince que l'on ne distinguait pas grand-chose.

Comme il n'allait pas se coucher avant qu'elle soit rentrée, il reprit le roman de Robert Walser. Vers minuit, il avait encore le sourire aux lèvres quand elle arriva. Il laissa retomber le livre ouvert contre sa poitrine et leva les yeux sur elle.

Tu connais cette photo, demanda-t-il, où on le voit mort dans la neige. Sur le dos, comme s'il prenait un bain de soleil sans soleil. Et son bonnet noir qui a roulé à quelques mètres. Son bras tendu au-dessus de la tête comme s'il essayait de l'attraper. Sa dernière balade un soir de Noël.

Oui, tu me l'as déjà montrée.

Ça ne m'étonne pas. Elle te glace les sangs, non, et elle te réchauffe en même temps. Elle t'envoie un message subliminal. Elle te dit ne laisse pas s'envoler ton chapeau. Ne te laisse pas emporter par le vent.

Elle le considéra un instant en hochant la tête puis abandonna son manteau sur un fauteuil en déclarant qu'elle avait faim, qu'elle n'avait pratiquement rien mangé. Il la rejoignit, penchée devant le frigo ouvert. Tu en fais une tête, lui dit-il en disposant le couvert. C'était pas bien, ce congrès.

Ce sont des types de ton âge, répondit-elle avec dédain, la nouvelle génération. Ils sont tous mariés. Et ils sont tous venus avec leur femme, enfin pour la plupart. C'était presque comique. La dernière fois, Patrick m'avait accompagnée, je n'avais rien vu. Tu sais, le monde me fait de plus en plus peur. C'est à désespérer parfois.

Un congrès de dentistes. Bon Dieu. Et ça te surprend. Il haussa les épaules et lui réchauffa une quiche au micro-ondes.

Dominique m'a ramenée, dit-elle.

Oui. C'est très bien, fit-il sans se démonter. Peu importe. Je l'ai trouvé marrant, une fois ou deux. Je n'irais pas me faire soigner les dents chez lui, remarque.

Il posa la quiche devant elle. Ils ne servaient que de la viande rouge à ce congrès, demanda-t-il.

J'avais l'estomac noué, je n'ai rien pu avaler. Marc,

c'était tellement sinistre. Dominique était là, heureusement, je croyais avoir perdu mes clés de voiture. Cet idiot les avait subtilisées dans mon sac.

Il est impayable. Un vrai comique. Le gars ne recule devant rien.

Ils restèrent un moment sans rien dire.

Ils veulent organiser quelque chose, finit-elle par déclarer. Ça fera un an dans quelques jours. On n'est pas les seuls. Il va y avoir du monde.

Il va y avoir des mouchoirs et des larmes, surtout.

Elle baissa la tête. Je sais, je sais bien. Je peux m'en occuper seule si c'est trop dur pour toi, je le comprendrais.

Non, je viendrai avec toi. Ça sera plus facile à deux. Ça ira.

Elle hésita avant de lui annoncer que le maire était censé prononcer quelques mots de circonstance.

Marc termina sa bière et s'approcha de la fenêtre. La circulation devenait rare sur l'avenue, les gens étaient chez eux, il n'y avait presque plus de vent. Au loin, l'océan noir miroitait.

Trois jours plus tard, le temps s'était radouci. L'herbe était encore verte, le ciel lumineux, on sortait de bon matin sans bonnet, sans écharpe, et en fin de matinée on avait la veste sur le bras, on était en chemise, mais il s'agissait de commémorer un lugubre anniversaire, pas de se réjouir de quoi que ce soit. C'étaient les mots du maire, un lugubre anniversaire, celui du jour où le Démon s'est emparé d'un esprit, provoquant la douleur qui aujourd'hui encore nous accable et nous réunit. C'étaient ses propres mots. Et les premiers rangs de la foule assemblée sur la place se sont partagés entre les larmes et les gémissements, certains se sont effondrés.

Marc ne leva pas un instant les yeux de la pointe de ses chaussures — sauf quand il croisa le regard de Serge, le fils du maire, au pied de l'estrade d'où son père débitait son discours à propos de ces blessures qui jamais ne se refermeraient. Diana ne lâchait pas son bras. Les gens échangeaient des grimaces, s'étreignaient, certains portaient du noir, des chapeaux, d'autres des chemises hawaïennes. Des douilles certifiées provenant du massacre se promenaient sur eBay.

Joël était en froid avec sa sœur — de façon récurrente et pour une raison qu'eux seuls connaissaient — et il se tenait à l'écart, respectant ainsi certaine distance qu'ils s'imposaient tacitement l'un à l'autre. Marc lui fit signe qu'ils se retrouveraient dans un moment. Des places étaient réservées pour les familles. Les gens apportaient des fleurs, des jouets en peluche, des photos, des cœurs dessinés, certains tentaient d'allumer des bougies mais il y avait un peu trop d'air, de l'air tiède qui remontait du littoral et qui les soufflait invariablement. On avait envie de leur demander à quoi servait d'allumer des bougies en plein jour, mais on ne disait rien. Ce n'était pas très important. Puis un type est monté sur l'estrade et s'est avancé vers le micro pour lire un de ses poèmes. Un truc épouvantable. Ensuite, une fille est venue chanter avec une guitare sèche et Marc en a profité pour rejoindre Joël qui piétinait dans l'ombre d'un tilleul dont les feuilles frissonnaient encore d'un vert tendre, presque translucide. Il semblait contrarié.

Oui, s'agaça-t-il, j'ai de quoi être contrarié. Plutôt deux fois qu'une. Parce que ça commence à traîner, ton histoire, on a affaire à des tordus, ils font traîner, je vois pas le fric arriver, je comprends pas. Mais bref. Ce qui me rend dingue, surtout, ce qui me fait vraiment mal, c'est qu'elle soit là. C'est quoi, ce cirque. Pourquoi elle est là. On aurait dû l'empêcher de venir, putain. De gré ou de force.

Écoute, c'est mal vu aujourd'hui d'employer la force avec les femmes.

On déconne, Marc, on déconne à mort. Je vais m'en vouloir toute ma vie. Regarde-la. Imagine ce qu'elle se prend en pleine figure, le film qu'elle se repasse. Je ne sais pas ce qui me retient de l'attraper et de la sortir de là. Regarde-moi ça, toutes ces larmes, toute cette douleur. Tu as envie qu'elle recommence. Qu'elle se foute en l'air pour de bon la prochaine fois, dis-moi.

Il enrageait, frémissait comme une feuille. Marc alluma une cigarette en attendant qu'il se calme. Il comprenait la réaction de Joël — tout en la trouvant assez disproportionnée. On ne pouvait écarter tous les risques, il y avait toujours un danger, mais franchement il ne s'inquiétait pas trop. Chaque matin, il prenait son petit déjeuner avec elle, il la voyait tous les jours, il avait pu l'observer et sans doute n'était-il pas très savant en la matière, mais il pensait qu'elle allait bien, en tout cas aussi bien qu'on pouvait aller quand on passait par où elle était passée.

Personne l'a forcée, dit-il. Tu la connais. Si elle avait pensé que ce serait trop dur, elle serait pas venue. J'allais pas non plus l'attacher.

Joël soupira entre ses dents puis finit par hocher la tête. J'espère que tu as raison, dit-il, je demande que ça. Je crois que je commence à vieillir, il y a des choses que je veux plus voir. Vraiment plus.

Marc fit signe à Diana qu'il arrivait. Puis il regarda de nouveau Joël et lui demanda ce qui coinçait au juste avec leur affaire.

Joël ricana. On n'est pas les seuls, répondit-il. Les types se méfient.

Marc était sur le point de lui dire de laisser tomber, qu'il regrettait de l'avoir mêlé à ce qu'il considérait à présent comme presque négligeable au regard du bénéfice escompté. Non qu'il se reprochât les nuits blanches et les pertes qui s'étaient accumulées avec une constance étourdissante au cours des mois qui avaient suivi la mort de Patrick — il les bénissait au contraire, elles avaient occupé son esprit ailleurs au bon moment.

Il avisait de nouveau Joël pour lui faire part de sa décision lorsque Diana se matérialisa à ses côtés. Elle échangea un rapide signe de tête indifférent avec Joël et lui tourna le dos pour s'adresser à Marc.

Le fils du maire, lui dit-elle. Il est là. Il voudrait te parler.

31

Marc songeait à prendre des cours de boxe, justement. Mais c'était trop tard, visiblement. Il pensa à ôter ses lunettes de soleil qui lui avaient coûté un bras, rentra la tête dans les épaules et serra les poings en pivotant vers le gars qui s'avançait tout sourire, la main tendue.

Marc baissa les yeux sur la main et la fixa sans broncher.

Je suis venu pour m'excuser, annonça le fils du maire. Je m'appelle Serge.

Reprenez votre main, je vais pas la serrer, fit Marc.

Écoutez, j'avais trop bu, je suis désolé.

Je suis pas le bureau des pleurs.

Je ne cherche pas d'excuse, mais. Écoutez, je ne savais pas. Enfin, tout ça. J'ai présenté mes excuses à votre belle-sœur. Demandez-lui. Je ne savais pas. Je sortais d'une soirée, je ne savais plus ce que je faisais. Je déteste ce genre de conduite, ces types qui se la jouent.

Ça doit être dur à vivre, pour vous.

Je ne voulais pas lui manquer de respect. Je ne voulais pas me battre avec vous. Ne me serrez pas la main si c'est trop dur, mais acceptez au moins mes excuses. Tenez, buvons un verre ensemble, pas maintenant, un jour, quand vous le sentirez, ça me fera plaisir. Ça mettra un point final à notre malentendu. Ça sera super.

Marc remit ses lunettes de soleil. Je vais vous envoyer la facture pour ma dent, mon vieux.

Dites donc, c'est normal, répondit Serge en lui tendant sa carte.

Trois jours plus tard, Diana recevait un chèque à son cabinet, une avance sur l'implant qu'elle destinait à Marc, lequel arrêta dès lors son choix sur le nouveau modèle en céramique Straumann.

C'était assez rare pour être noté. Respecter une promesse, un engagement, une parole. C'était rassurant quelquefois de tomber sur des gens qui avaient des principes, faisaient preuve de savoir-vivre, qui pouvaient vous faire sentir combien la vie pourrait être facile, attirante, délectable même, si l'on y mettait les formes.

Diana le poussa à l'appeler. Ah ça, sûrement pas, commença-t-il par déclarer, hors de question.

Pour finir il flancha. Il n'avait rien dit à Joël du sentiment mitigé qu'il éprouvait en observant Diana avec attention depuis ce maudit rassemblement. Il vanta même la parfaite réussite de l'expérience, mais ce n'était pas tout à fait vrai. Il la sentait légèrement bizarre, légèrement tendue ou encore légèrement absente, mais elle était loin de présenter les signes du choc irrévocable que prédisait son frère, ce n'était d'ailleurs qu'une impression qu'il avait, encore très vague. Il se disait que si le beau temps continuait, la beauté de l'arrière-saison, si cette lumière persistait, il n'y paraîtrait bientôt plus. Lorsqu'elle revint à la charge, il se fit moins affirmatif. Il devait penser à elle, à ne pas assombrir davantage son humeur. Ne pas perdre cet objectif de vue, nota-t-il dans son carnet. Ne pas se laisser guider par son orgueil.

Il capitula pour de bon tandis qu'elle lui incisait la gencive, visiblement contrariée par la mauvaise volonté qu'il mettait à passer ce coup de fil. Il resta assis à la regarder pendant qu'elle rangeait son matériel en l'observant à la dérobée. Puis il attrapa son téléphone. Elle lui sourit.

Comme il ne pouvait pas ouvrir la bouche — il mordait dans un sachet de thé pour arrêter le sang —, il envoya un message. Okay pour le verre, dit-il.

Le soir tombait lorsqu'ils remontèrent à l'appartement. Pour lui, il n'était pas question de manger, quant à Diana, elle se sentait fatiguée et elle déclara qu'il ne fallait pas lui en vouloir mais qu'elle allait l'abandonner et plonger dans ses draps jusqu'à midi afin de récupérer, elle était morte, le week-end tombait au bon moment.

Elle prit le temps, cependant, entre deux bâillements, d'avaler un œuf dur, de manger une tranche de jambon avec ses doigts.

Tu n'as pas mauvaise mine, dit-il. Mais je pense qu'un bain de soleil ne te ferait pas de mal. Cette douceur ne va pas durer.

Derrière la maison, le jardin était clôturé d'assez hautes palissades de bois qui interdisaient tout regard de l'extérieur. Sauf celui que l'on pouvait glisser des fenêtres du premier. Cette image aussi avait un an. Se dissimulant derrière le rideau. La découvrant nue, couchée dans l'herbe verte, ses cheveux roux étalés comme une sorte d'auréole cuivrée. Quelques jours à peine après la mort de Patrick. Cette femme, cette vision à couper le souffle.

Il l'avait toujours trouvée très belle, mais ce jour-là il en était resté bouche bée.

À quoi penses-tu, demanda-t-elle.

Je ne sais pas. On pourrait aussi aller pêcher, demain.

Elle n'eut pas l'air emballée. Elle aimait pourtant ça, pêcher, d'habitude.

Il attendit qu'elle regagne sa chambre pour se servir un verre. Il retira l'infusette de sa bouche et cracha un peu de sang. Il allait devoir garder un œil sur elle en permanence, être hyper vigilant, ça ne faisait aucun doute. La fatigue n'expliquait pas tout, elle avait laissé tomber une paire de ciseaux pendant qu'elle s'occupait de lui et travaillait au ralenti. Il fallait bien la connaître pour s'en apercevoir. Il avala ses médicaments avec une bonne gorgée de whisky et s'ébroua devant la fenêtre entrouverte. Il faisait bon, la lune brillait au-dessus de l'océan dont on entendait vaguement le ressac, le chuintement lointain. Il n'était pas impossible qu'elle réagisse après coup, quelques signes avant-coureurs plaidaient pour cette version, il devait bien l'admettre.

Lui-même n'avait pas été épargné, il n'était pas sorti indemne de ce funeste rassemblement, de cette commémoration terrible qui lui était tombée dessus comme du plomb. L'espace de cette journée, Patrick l'avait totalement habité, il avait occupé ses pensées du lever du jour au coucher du soleil et ni Diana ni lui ne s'en étaient tirés à bon compte. Il s'installa dans un fauteuil avec son verre — il cala la bouteille entre ses jambes.

Parfois, il avait l'impression que Diana était sa mère,

c'était troublant. La vingtaine d'années qui les séparait y était sans doute pour quelque chose, comme le fait qu'elle avait été la femme de son frère aîné, se disait-il en buvant son verre par petites gorgées, et que Patrick était mort dans ses bras, aussi, toutes ces choses, cette infernale tuerie, un type avait filmé la scène où l'on voyait Diana couverte de sang, pendant que Patrick rendait l'âme, la tête sur ses genoux, et le type avait eu un prix pour avoir filmé ça, on n'entendait plus tirer, les flics avaient encore leur arme au poing et avançaient au milieu des corps, pliés en deux, en arrière-plan.

Parfois, il la prenait pour une grande sœur, qu'il pouvait aimer de cet amour particulier, difficile à définir, mystérieux, formidable et embarrassant. Une légère chaleur commençait à irradier sa mâchoire, ce qui lui rappela qu'elle était aussi une très honorable dentiste et avoir un dentiste sous la main était infiniment appréciable dans la vie.

Il se servit un dernier verre et garda chaque gorgée d'alcool dans la bouche en guise d'anesthésie locale, avant de l'avaler. Ça marchait assez bien.

Son téléphone sonna, trois jours plus tard, comme il sortait de la douche. C'était Joël au bout du fil, totalement hystérique.

Marc, braillait-il, putain Marc, elle s'est flanquée sous

les roues d'une voiture, tu m'entends, elle s'est foutue en l'air au petit matin, putain, tu m'entends.

Marc sortit sa Volvo et fonça à l'hôpital. Ses mains tremblaient. Il faisait une quinzaine de degrés, le bleu du ciel était légèrement voilé, opalin, envahi de mouettes — quelques-unes tournoyaient en piaillant au-dessus d'une benne à ordures installée au croisement. Des filets de sueur glacée glissaient entre ses omoplates. Il était terrifié. Le pire film d'horreur qu'il pouvait imaginer. En arrivant à l'hôpital, il claquait des dents, il avait presque la nausée.

Joël, décomposé, se précipita sur lui, l'étreignit. Quand ils se séparèrent, Marc se laissa choir sur la banquette, les jambes molles.

On ne pouvait pas la voir, elle était dans le coma, les médecins ne voulaient pas se prononcer. Il fallait attendre. Elle pouvait se réveiller dans une heure ou dans six mois. Brigitte lui toucha la main, puis à son tour elle le prit dans ses bras.

Marc était blanc comme un linge. Je dois aller boire quelque chose, dit-il, je reviens.

Malgré l'affluence, il se fraya cependant une place au premier bar qu'il trouva dans le coin. Il prétendit que sa femme était en train de mourir, qu'il devait y retourner en vitesse.

Les types firent volte-face puis s'écartèrent. L'un d'eux lui mit la main sur l'épaule. Un autre lui paya un verre. Moi, j'ai perdu la mienne, déclara le gars. Ça va faire un bail. Ça fait mal au début, ça je dis pas, mais mon vieux, la liberté a un prix.

Marc avala son verre d'un coup. Puis un autre. Il s'attendait à ce que le décor disparaisse autour de lui, que le bar s'effondre dans un nuage de poussière étourdissant. Puis un dernier avant de retourner à l'hôpital.

La voiture l'a heurtée de plein fouet, lui expliqua Joël à voix basse, les roues arrière lui sont passées dessus.

Marc faillit éclater de rire, c'était nerveux.

On n'a pas assuré, reprit Joël au bord des larmes. On était pourtant prévenus, on n'a pas été à la hauteur, c'est tout. On le savait, pourtant.

Marc soupira. Elle a dû quitter l'appartement aux aurores. J'ouvrais à peine les yeux lorsque tu m'as appelé.

Mais ce foutu rassemblement, grimaça Joël. Je savais que c'était une mauvaise idée. Je te l'avais dit.

Marc ne répondit pas. Il n'avait pas l'esprit très clair, mais suffisamment pour ne pas évoquer le pénible épisode qui s'était déroulé la veille au soir entre Diana et lui. Le moment ne semblait pas très opportun pour aviser Joël de leur sombre empoignade — sinon à vouloir porter la responsabilité de ce qui venait d'arriver.

Pour la troisième fois. Troisième tentative de suicide au cours de l'année écoulée. Médicaments, lames de rasoir, et maintenant se jeter sous les roues d'une voiture. De plus en plus épouvantable, se disait-il, et la dernière image qu'il avait de Diana, cette femme en pleurs, à l'air furieux, qu'il reconnaissait à peine, lui donna le frisson.

Il la revoyait monter en gémissant dans sa chambre, claquer la porte tandis qu'il restait planté au milieu du salon, son verre à la main. Ils ne s'étaient jamais heurtés si brutalement depuis qu'ils cohabitaient, c'était nouveau, jusque-là inimaginable. La nuit était pourtant calme, silencieuse, aucune électricité dans l'air. Tout était parti d'une réflexion qu'il lui avait faite à propos de Serge et qu'elle avait mal prise — sans doute s'était-il montré un peu grossier pour finir.

En y repensant, de retour dans l'appartement vide, il resta surpris de la rapidité avec laquelle le feu avait pris et avec quelle intensité. Ils s'étaient fait mal, l'un et l'autre, ils s'étaient dit des choses terribles, des choses blessantes, comme s'ils avaient été aspirés dans un tourbillon de noirceurs, un mot en entraînant un autre.

Il sanglota un moment sur le rebord de sa baignoire, puis il se fit couler un bain. Un vent doux, uniforme, passait par la fenêtre entrouverte. Diana lui avait offert un coffret pour bains relaxants pour son anniversaire et il se forçait à y croire, notant peut-être d'assez bons résultats. Il n'était pas très bain, d'ordinaire, mais là, il ne tenait plus debout. Il n'avait rien fait mais il était éreinté. Du fond de sa baignoire, Marc pensait déjà à son lit. Jamais il n'aurait cru qu'elle recommencerait, se dit-il. Et dans la seconde il se demanda comment on pouvait dire une connerie pareille.

La première tentative de Diana avait eu lieu presque deux mois après la mort de Patrick, en plein hiver, et la seconde en mars. De l'eau avait coulé depuis. Il pensait que c'était fini, que le passé était loin, que le temps était révolu où il fallait la surveiller de près, être attentif à ses moindres changements d'humeur. Sauf qu'il n'y connaissait pas grand-chose, il restait à la surface. Il n'était pas allé voir au cœur.

À présent, le soir commençait à tomber. Il se laissa choir dans un fauteuil en emportant la bouteille au passage.

En dehors de quelques verres, il ne prenait plus rien. Il tirait sur un joint, à l'occasion, mais il avait fait une croix sur le reste et ne s'en portait pas plus mal. Ça ne manquait pas d'ironie, songeait-il, ces trois kilos qui lui étaient tombés du ciel à présent qu'il n'y touchait plus.

Il étendit les jambes, renversa la tête sur le dossier. Au bout d'un moment, il sentit que des larmes coulaient le long de ses joues alors qu'il ne pleurait pas — il était bien placé pour le savoir.

Il sursauta quand son téléphone sonna et vibra comme une bestiole retournée sur le dos, incapable de s'envoler. Joël avait promis de l'avertir dès qu'il y aurait du nouveau et Marc, prenant aussitôt l'appel, pria Dieu pour qu'elle ait ouvert les yeux. Mais Joël n'appelait pas pour Diana, il appelait pour annoncer qu'on avait forcé leur porte, fouillé l'appartement de fond en comble, de vrais sauvages, Brigitte, la pauvre, était dans tous ses états, elle voulait dormir à l'hôtel.

Mais c'est rien, reprit Joël, ça je vais m'en occuper. C'est plutôt toi. Ils vont facilement remonter jusqu'à toi. Oui, je sais, il ne manquait plus que ça, mais que veux-tu que je te dise. On n'a pas de bouton pour le stop.

Marc se resservit un verre et arpenta le salon pendant que Joël lui faisait part de certains renseignements qu'il venait de récolter. Le téléphone coincé à l'oreille, Marc ramassa un roman de William Saroyan que Diana avait laissé ouvert sur la table basse et il en marqua la page.

Bon, écoute, fit Joël. Tu restes chez toi. Laisse-moi faire un peu de ménage. Bon Dieu, Patrick serait dingue s'il nous voyait.

Pas de nouvelles de Diana.

Non, pas de nouvelles de Diana. J'ai parlé aux docteurs. On pourra la voir très vite. Ah, et aussi il y a une mauvaise nouvelle. Ils ont embarqué ta marchandise, bien sûr, il fallait s'y attendre. Mais laisse-moi m'en occuper. Ne bouge pas de chez toi avant mon appel. Est-ce que tu peux faire ça. Écoute, commande-toi des sushis et mets-toi au lit. Je vais voir s'ils ont une chambre communicante avec terrasse dans un palace du coin pour que Brigitte se détende. Ça l'a remuée, tu sais.

Joël raccrocha en soupirant et se tourna vers Brigitte qui avait erré d'une pièce à l'autre et réapparaissait devant lui, presque apeurée. Il fit un pas dans sa direction mais elle tendit la main pour l'empêcher d'avancer davantage.

Laisse-moi passer, j'ai besoin d'air, dit-elle.

Il lui ouvrit la porte-fenêtre qui donnait sur le balcon.

Ça fait surtout mal au cœur, fit-elle en sortant un mouchoir. Ça donne envie de pleurer, c'est tout.

J'appelle le Hilton. Prends un pyjama et fichons le camp d'ici. Et un maillot de bain pour le jacuzzi.

Plus tard, pour finir, Brigitte choisit un enveloppement d'algues tandis que Joël bifurquait vers le sauna en se demandant si Marc allait lui obéir. Il n'y avait personne. Il s'allongea sur une banquette et regarda la vapeur l'envelopper comme la tristesse qui revenait sourdement depuis leur sortie de l'hôpital. Il prit le temps de repenser à Diana et à ses relations avec elle, jamais bonnes, quand elles n'étaient pas exécrables, au mieux indifférentes, à l'occasion d'un Noël ou d'un anniversaire en famille. Il commença à suer sérieusement au bout de quelques minutes. Mais elle était sa sœur, elle n'était pas la voisine d'à côté, elle était celle qui venait d'effectuer sa troisième tentative de suicide depuis la mort de Patrick. Ce n'était pas une femme qui plaisantait. Il s'essuya les yeux. Il avait fallu deux hommes, deux costauds, pour lui faire lâcher prise, tellement elle s'accrochait à Patrick qui avait rendu l'âme presque aussitôt. Personnellement, Joël trouvait cette image lamentable mais elle avait fait le tour du pays, déclenché des larmes jusqu'au fond des chaumières, cette pauvre femme éclaboussée du sang de son mari, ce visage de madone disgraciée, cette beauté lugubre, bla bla bla, mais ça ne lui rendait pas justice. Diana était davantage que ça. Il transpirait à grosses gouttes à présent. Il avait toujours pensé que Patrick avait eu la chance, l'indescriptible chance de se trouver là au bon moment, au bon endroit. Et il avait raflé la mise. Le petit salaud. Qu'il avait aimé presque comme un frère. Il avait encore la larme à l'œil lorsqu'il pensait à lui quelquefois. Il se souvenait avoir apprécié l'élégance du gars malgré ses airs de voyou, ils s'étaient très vite bien entendus, au point qu'il s'était dit pourquoi pas lui, au fond, puisque c'est inévitable, pourquoi pas lui avec son étrange frangin, une bonne pêche que ces deux-là, malgré l'atrocité des choses.

Et aujourd'hui il s'inquiétait pour Marc comme s'il était de sa propre famille, de son propre sang, un jeune fils, parfois imprévisible, impulsif, mais auquel il tenait.

Il sortit et s'administra une douche froide avant d'enfiler un peignoir blanc et des chaussons siglés H. Dans l'ascenseur, il y avait une femme de chambre, petite jupe noire, petit tablier blanc de soubrette, regard baissé. Il songea qu'elle pouvait se mettre à hurler d'une seconde à l'autre et foutre sa vie en l'air s'il bougeait d'un cil.

Il regagna sa chambre et constata que Brigitte était arrivée avant lui. Leurs chambres communiquaient. Elle était nue devant sa glace, elle se brossait les dents. Ils étaient sur le point de se séparer mais il mesurait une fois de plus comme on avait raison d'épouser une femme plus jeune, beaucoup plus jeune, en vieillissant. Pour le plaisir de la regarder se pencher au-dessus du lavabo, par exemple. Il savait bien que leur relation était au plus bas et il ne voulait rien tenter mais il la trouvait désirable — d'autant qu'il dormait depuis un moment dans son bureau, au-dessus du hangar à bateaux, et d'un mauvais sommeil à cause du clapotis de l'eau, des bouées qui grinçaient contre les coques.

Avisant Joël dans le miroir, elle décrocha un peignoir et l'enfila en se dirigeant vers la porte qui les séparait.

Pas mal ces chambres, dit-il. Tu ne trouves pas. Et ces algues, c'était comment, dis-moi.

Elle serra les pans de son peignoir sous sa gorge et

répondit d'un vague haussement d'épaules qu'il jugea positif, eu égard à la situation.

Ça fait beaucoup d'émotions en une journée, dit-il.

Tu es tout rouge, soupira-t-elle.

Oui, je sors du sauna, je suis rouge, c'est normal. Je ne te propose pas de boire un verre, j'imagine.

Je n'ai pas bien entendu.

Oui, c'est ce que je pensais.

Elle hocha la tête et referma la porte. Devant laquelle il demeura immobile un instant, mi-dépité, mi-songeur.

Il sortit sur la terrasse et appela deux ou trois personnes. Il leur parla dans une langue étrangère. Les jours étaient un peu plus courts, la nuit était déjà là.

Un mois plus tard, Diana remarchait. Avec une canne, certes, mais elle remarchait. Elle boitait, aussi. Pas mal. Et elle grimaçait au bout d'un moment lors d'une promenade assez longue, elle souffrait en silence, mais c'était quand même un miracle.

Elle avait changé de voiture pour une automatique et s'habillait court, de façon provocante, exhibant ses jambes couturées de cicatrices — plusieurs fractures, dont une ouverte, et diverses plaies, déchirures, cisaillements, écrasements, etc. — avec une crâne ostentation. Elle avait une longue estafilade rose pâle qui courait sur son cuir chevelu.

S'asseoir n'était pas très facile. Marc avait fixé une poignée dans le mur, près des W-C, afin qu'elle puisse s'aider et se redresser plus facilement.

S'il te plaît enlève-moi ça, avait-elle exigé. Ne me demande pas pourquoi et fais-le. S'il te plaît.

Elle avait ajouté qu'elle n'accepterait aucun aménagement, aussi minime soit-il, concernant son état. Néanmoins, à présent, elle appréhendait l'humidité de l'automne qui recommençait à poindre, elle la sentait dans tous les os de son corps, dans ses reins, et elle savait qu'elle allait souffrir chaque jour davantage, que cette poignée allait cruellement lui manquer quand elle voudrait se rétablir et se reculotter — exercice qu'elle pratiquait un grand nombre de fois par jour —, mais elle serrait les dents, elle tenait bon.

Elle ne le lui disait plus. Elle ne disait plus à Marc qu'elle pouvait se passer de baby-sitter car c'était en pure perte. Il n'avait plus confiance. De la fenêtre de sa chambre il la suivait à la jumelle quand elle marchait pieds nus sur le sable mouillé, encore dur, et dès qu'elle faisait le moindre faux pas, trébuchait, il se raidissait sur son siège, elle le savait, comme elle savait, sans la moindre erreur possible, quand son regard était posé sur elle, fût-ce dans son dos.

Il devait penser qu'elle était folle, naturellement, bonne à enfermer. Elle se mettait à sa place, plus ou moins. En tout cas, il ne voulait plus la croire ni lui faire confiance.

Diana, je pense que tu ne te rends pas compte, avait-il soupiré.

Tais-toi, ne me dis pas que je ne me rends pas compte, avait-elle répliqué d'une voix sourde.

Écoute, j'espère que tu vas bien. Je te crois. Tu as

bonne mine, je trouve, et ça me réjouit, mais ça change rien, je suis heureux de l'entendre, bien sûr, seulement ça suffit pas, tu vois, désolé. Cherche pas à m'endormir, ne perds pas ton temps. Je supporterais pas ça une quatrième fois.

Si je voulais recommencer, tu ne pourrais pas m'en empêcher. Personne le pourrait.

Je crois que je le sentirais venir, en tout cas. Je n'attendrais pas qu'il soit trop tard.

Aujourd'hui, elle devait reconnaître qu'il n'avait pas été trop pesant, elle avait craint bien pire. Leur cohabitation se passait plutôt bien. C'était important qu'il soit là. Elle n'avait pas envie de vivre seule et la maison était grande, l'appartement qu'ils partageaient avec ses deux mezzanines indépendantes largement suffisant. Ils n'avaient pas parlé de leur dispute, plus d'un mois s'était écoulé mais la brûlure était encore sensible. Ils avaient échangé des mots vraiment durs, ce soir-là, ils résonnaient encore à ses oreilles.

Mais ils avaient vingt ans d'écart. Elle avait plus d'expérience que lui. Elle savait qu'à ce jeu le premier qui sortirait du bois, le premier qui avancerait à découvert, serait fichu d'avance.

En dehors de ça, ils s'entendaient bien, comme ils s'étaient toujours bien entendus depuis le début, depuis que Patrick les avait présentés l'un à l'autre. Elle ne savait toujours pas comment le prendre après tout ce temps, elle s'interrogeait mais elle s'en accommodait.

La mort de Patrick avait tout bouleversé, les cartes

étaient redistribuées, les rôles n'étaient plus tout à fait les mêmes.

Elle n'aurait pas dit qu'elle couchait avec Serge, le terme ne lui semblait pas approprié. Ils faisaient ça en dix minutes, contre un mur, une balustrade, un peu n'importe où du moment qu'elle pouvait prendre appui sur quelque chose car ses jambes n'étaient pas très solides malgré la ferraille vissée dans ses os. Elles fatiguaient vite et la douleur était toujours là — surtout quand elle tentait de les croiser dans les reins de Serge. Ils entretenaient une relation purement sexuelle, relativement sauvage, depuis un bon moment.

C'était dire à quel point la surveillance que Marc lui avait promise n'était pas trop sévère. Elle s'était employée — avec un succès mitigé — à lui fausser compagnie durant quelque temps, puis la vigilance de Marc s'était émoussée et elle se contentait de lui annoncer qu'elle sortait prendre l'air et serait bientôt de retour — ce à quoi elle ne dérogeait pas.

Elle s'accordait une heure, dans l'après-midi, avant que Serge ne parte chercher sa fille à l'école, ou bien le soir, lorsque la fillette était endormie et que sa femme prenait son bain, ils n'avaient qu'une étroite fenêtre de tir et elle était de retour en vingt minutes maximum, à peine si Marc levait les yeux de son écran, plongé dans ses parties de poker, assis en tailleur avec un verre dans la pénombre, profondément concentré, la saluant d'un léger signe de tête teinté d'approbation dès qu'elle repassait la porte et filait dans sa chambre, jetait sa culotte dans le panier à linge, s'installait avec difficulté sur le bidet, se douchait les cuisses et l'entrejambe, se relevait vaillamment puis redescendait en pyjama, se servait un verre à son tour et lui demandait s'il n'avait pas bientôt fini, s'il n'avait pas faim.

Depuis la mort de son frère, Marc n'était plus celui qu'elle avait connu, le jeune type effacé, toujours en retrait, toujours d'accord avec Patrick, toujours dans l'ombre de ce dernier, un pâle, énigmatique sourire aux lèvres. Il avait tellement mûri, et si vite. C'était un autre homme avec lequel elle partageait son appartement. Le seul point noir était cette dispute qu'ils s'étaient infligée quelques heures avant sa dernière tentative d'en finir. L'ironie voulait que ce soit à propos de Serge, alors que celui-ci n'avait pas encore posé la moindre main sur elle.

Serge était le premier après Patrick. Elle s'était lancée pour finir, cédant par curiosité, lassitude et indifférence, à ses avances répétées car il s'était découvert un goût particulier pour les infirmes. Il y avait un bon moment qu'elle n'avait pas eu de rapports avec un homme, mais ça ne lui manquait pas vraiment. Elle savait d'avance qu'elle serait déçue et qu'elle ne remplacerait pas Patrick, jamais. Aussi bien, le faire avec Serge n'avait-il aucune espèce d'importance. Il était simplement là au moment où elle se disait après tout, pourquoi pas. Elle y avait pensé quelquefois mais elle ne le désirait pas vraiment. Il arrivait que des hommes trouvent le bon chemin, du premier coup, là où d'autres plus beaux, plus intelligents, plus riches s'épuisaient en vain à trouver la bonne clé. Serge avait piaffé un moment derrière la porte, mais il avait persévéré et avait fini par découvrir la fameuse combinaison. Peut-être aussi le méritait-il plus qu'un autre, eu égard au mal qu'il s'était donné.

Il faisait une chaleur épouvantable. Inhabituelle pour la saison. La première fois ils s'étaient vus dans un bar à cocktails, et Serge lui avait touché la cuisse. Elle l'avait laissé faire, voyant à quel point il était sous le charme, enchanté par ses cicatrices qu'il suivait du bout des doigts, les yeux fermés, le sourire extatique.

Elle était curieuse de connaître la suite, de voir comment ce serait, si ça l'intéresserait toujours — avant de faire l'acquisition d'un vibromasseur à succion pour en terminer une fois pour toutes dans le cas contraire.

Elle était sortie de cette première expérience soulagée, rassurée. Physiquement et moralement. Si bien qu'elle s'était surprise à essuyer quelques larmes en rentrant, assise sur son lit, heureuse et malheureuse à la fois, et plus elle souriait plus ses larmes coulaient.

Cette première expérience datait d'un bon mois, à présent. Celles qui avaient suivi ne l'avaient pas déçue. Elles furent toutes brèves et intenses, dépourvues de sentimentalité, pas de cigarette après, pas d'affreux mensonges, pas de restaurants, et c'était tout ce qu'elle voulait — ce qui tombait bien car Serge, de son côté, n'avait rien de plus à lui donner.

Elle faisait encore deux heures de rééducation par jour mais elle n'observait guère d'amélioration dans sa jambe gauche qu'elle sentait fragile comme du verre, vacillante au moindre appui — elle se retenait parfois de la frapper avec sa canne, mais la jambe n'était pas coupable de ce gâchis, la jambe n'aurait pas compris.

Elle avait loué son cabinet jusqu'à Noël, persuadée qu'elle serait alors en mesure de reprendre son travail, mais elle commençait à en douter. Chaque séance de kiné lui apportait son lot de souffrance, et pour quels résultats, pour peu de choses, en vérité. Elle estimait payer très cher pour des progrès aussi décevants, elle boitait peut-être un peu moins mais c'était le bout du monde.

Elle n'avait pas réussi à mettre un terme à ses jours, une fois de plus, mais là elle s'en était sortie en mille morceaux, le réveil avait été rude. Elle se regardait nue quelquefois, elle se plantait devant le miroir et restait de longues minutes à se détailler, à observer ce demi-monstre planté devant elle, cette improbable sirène en équilibre sur des jambes déglinguées, tordues, affreuses. Elle pensait qu'il s'agissait d'une punition, d'un nouveau fardeau qu'on l'obligeait à porter.

Un matin, sur un parking, tandis qu'elle s'apprêtait à ranger ses provisions dans le coffre, son frère, qui passait par là, lui proposa de les embarquer et de les déposer devant sa porte. C'était ça, faire pitié, c'était ce qu'elle avait récolté. On se levait pour lui laisser la place, on la traitait comme une femme enceinte. On portait ses provisions, on s'empressait.

Diana, lui dit Joël, je dois savoir quelque chose. Ne le prends pas mal. Je ne cherche pas à me mêler de tes histoires, ne crois surtout pas ça, mais je dois savoir. C'est très sérieux. Je dois savoir si tu as une relation avec le fils du maire. Diana, dis-le-moi. Ne me dis pas que c'est oui, nom de Dieu.

Un vent frais balayait le parking, des nuages bas filaient, d'autres s'agglutinaient pour composer un visage de vieille femme au profil grimaçant, ses cheveux flottant derrière elle.

C'était forcément sérieux. Sinon il n'aurait pas osé, pensa-t-elle. Durant un instant, elle le considéra. Ils ne se jetaient toujours pas dans les bras l'un de l'autre, Dieu s'en fallait, mais un faible courant passait encore, les ultimes liens du sang, et elle savait que Joël ne ferait rien qui puisse à jamais les trancher — il lui avait dit plusieurs fois qu'il était satisfait de leur relation, si sommaire fût-elle, de la possibilité de se parler, de se sortir de l'étau du conflit permanent, de la fin du refus de principe. Mais alors là, il rêvait.

Elle haussa les épaules. Lui ou un autre, finit-elle par répondre. Tu veux savoir quoi, au juste.

Il eut un geste de lassitude signifiant qu'il en savait assez.

Donne-moi la traduction, lui dit-elle.

Il secoua la tête, soupira. Je suis en affaire avec des types qui ont ton ami dans le collimateur, déclara-t-il. J'aurais préféré qu'il n'y ait rien entre vous deux. Parce que ça va

51

dégénérer. Ne me regarde pas comme ça, je sais de quoi je parle et j'ai pas envie qu'il t'arrive quelque chose.

Je croyais que la guerre était finie, que tout était réglé.

Écoute-moi bien. Il se pourrait que ton ami Serge soit de mèche avec les flics. Les autres vont le découper en rondelles quand ils apprendront ça.

Qui ça, les autres.

Peu importe. Fréquenter ce type est dangereux. Ne va pas te retrouver au milieu de la bataille, tiens-toi à l'écart. Je suis ton frère, j'aimerais autant ne plus me faire du souci pour toi pendant un moment.

Elle le regarda sans répondre, haussant les sourcils.

Diana, je ne plaisante pas.

Moi si. Je me dis que c'est une plaisanterie, c'est forcément une plaisanterie, n'est-ce pas. Rassure-moi. Mais qu'est-ce que vous fichez, Marc et toi.

Elle se tut un instant pour le dévisager. C'est fini ou ce n'est pas fini, demanda-t-elle en gardant son calme.

Tu sais, répondit Joël, ça va jamais exactement comme on veut. Mais ça vient pas de nous. C'est des très jeunes, des têtes brûlées. Ils obéissent à rien, ils ont aucune parole. On peut pas leur faire confiance, rien ne les arrête. Attends, leur chef doit avoir à peine seize ans, tu imagines.

Autour d'eux, le parking se remplissait et l'on pouvait se rendre compte, à ce moment-là, que la plupart des gens ne savaient pas conduire. Et ces mêmes gens votaient — et ensuite on s'étonnait. Un type s'impatientait, attendant que Diana lui cède sa place. Les premiers froids se prépa-

raient derrière l'horizon et les jours avaient nettement rac-
courci.

Elle suivit Joël des yeux tandis qu'il regagnait sa voiture.
Elle était fascinée par cette faculté qu'ont les hommes de
se fourrer dans les ennuis, comme s'ils y sautaient à pieds
joints pour en avoir jusqu'au cou.

Elle secoua la tête. Inutile d'espérer les faire changer
d'avis. Essayer n'avait d'autre résultat que de perdre son
temps. Joël n'avait pas que de bonnes fréquentations,
c'était l'évidence, et Patrick n'avait pas été en reste à cet
égard. Le port de plaisance et les quelques rues alentour ne
formaient pas des enfants de chœur ni des gens d'Église, et
voilà ce que ça donnait, des histoires telles qu'on en voit
dans les films, avec des anges et des mauvais garçons.

En rentrant, elle trouva ses provisions devant la porte.
Marc n'était pas là et elle dut s'en charger. Trois allers et
retours entre la porte d'entrée et la cuisine. Sa jambe
gauche la faisait souffrir. Depuis quelques jours, elle grimaçait en marchant quand elle était seule. La dernière
fois, avec Serge, elle n'avait pu retenir un gémissement
car il lui tenait les jambes grandes ouvertes, en extension,
et le petit cri de douleur qu'elle poussa avait fait croire à
Serge qu'il était en train de la faire jouir sur un de ces
matelas gonflables siglés UP, Univers Piscines, qu'il
offrait à ses nouveaux clients pour l'achat d'une piscine
clés en main — des bouées ordinaires étaient attribuées
aux enfants.

Elle resta un instant assise dans la cuisine et repensa aux
paroles de Joël. Le ciel était zébré de gris anthracite au-

dessus de l'océan, la pluie n'allait pas tarder. Elle se demandait dans quelle mesure elle devait s'inquiéter. Elle n'avait plus grand-chose à protéger, à défendre, elle se sentait déjà morte et ce qui pouvait lui arriver ne lui importait plus beaucoup. À la souffrance du deuil s'étaient substitués l'incompréhension du vide puis le glissement vers un quotidien que Marc était bien le seul à rendre tolérable, pas toujours, mais la plupart du temps, même s'il n'en prenait pas vraiment conscience et ne pouvait empêcher certaines humeurs cafardeuses. Il suffisait qu'il soit là, qu'ils échangent quelques mots, qu'il sache de quoi il retournait.

Elle ne fantasmait pas sur lui. Sans doute l'aurait-elle trouvé à son goût en d'autres circonstances mais elle refusait d'y songer, étouffait en quelques secondes la moindre mauvaise pensée qui lui venait quelquefois à l'esprit et avait le don de l'agacer. Marc n'était pas une option. Il ne pouvait pas être une option. Le sexe ne pesait rien dans la balance.

Elle se releva péniblement et rangea ses courses tandis que le jour baissait sous la couverture des nuages. Marc et Joël savaient très bien ce qu'elle pensait de cette histoire de cocaïne. C'était si stupide qu'elle préférait ne pas en parler, sauf à dire qu'elle les avait prévenus. Sauf à dire que les ennuis étaient pour elle, à présent, à moins qu'elle ne coupe les ponts de toute urgence avec Serge.

On croyait rêver. Elle buvait un grand verre d'eau en regardant tomber les premières gouttes lorsque Édouard, le remplaçant que lui avait recommandé cet imbécile de Dominique, sonna à la porte de l'appartement.

Il était dans tous ses états, essoufflé comme s'il venait de grimper l'étage en quelques bonds. Sa cliente venait d'avoir un malaise et il ne savait pas quoi faire. Ce jeune type était un véritable ahuri.

Et si je n'étais pas là, vous feriez quoi, lui demanda-t-elle.

Je ne sais pas, j'appellerais les pompiers.

Oui, c'est le bon réflexe. Quoi qu'il en soit, ne tardez pas trop.

Les pompiers. D'accord. Très bien. Est-ce que j'ouvre les fenêtres.

Mais bien entendu. Excellente idée. Laissez la pluie lui fouetter le visage. Elle devrait aimer ça, je pense.

Édouard était en train de décimer sa clientèle. Les retours qui se succédaient sur sa messagerie étaient épouvantables mais elle n'y pouvait rien, elle ne parvenait pas à s'y intéresser, elle n'envisageait pas de perdre son temps à chercher mieux. Et d'ailleurs elle avait toujours eu horreur de son métier, elle en prenait conscience de plus en plus clairement. Chacun choisissait ses chaînes, mais elle, sans aucun doute, avait fait le mauvais choix, ses chaînes n'étaient qu'un fardeau, une charge inutile et supplémentaire qu'elle portait à bout de bras. Pas une seconde elle n'avait rêvé d'être dentiste, elle n'en avait jamais eu envie, jamais. Elle y avait pourtant consacré la moitié de son temps, des milliers d'heures, la moitié de sa vie. Une telle aberration demeurait un parfait mystère. Il y avait en elle une partie un peu dure à la détente, qu'elle méprisait de tout son cœur.

Dès que la pluie cessa de tomber, elle retrouva Serge dans une ruelle au nord de la ville. La gare n'était pas très loin, on entendait les annonces, quelquefois une locomotive actionnait son avertisseur. À genoux sur la banquette arrière, une joue aplatie sur le cuir de vachette disponible en option et au beau milieu d'un rapport sexuel énergique, elle se demandait si Serge était un policier, si elle trouvait ça excitant ou non, si c'était juste pour la baiser ou s'il était en service.

À cette dernière question, tandis qu'ils partageaient une boîte de kleenex, il répondit en bouclant sa ceinture avec flegme que les femmes avaient le don de fourrer leur nez partout.

Il la considéra un instant avec un demi-sourire. Je ne dis pas ça méchamment, précisa-t-il, mais c'est un fait.

Marc ne savait pas trop quoi penser à propos de Serge. Joël était d'avis que c'était un flic mais Marc avait entrepris quelques recherches à son sujet qui n'avaient rien donné. Ce qui ne voulait rien dire.

Quant à Diana, il avait cru comprendre qu'elle le croisait en ville quelquefois, par hasard, avec femme et enfant la plupart du temps, et qu'ils échangeaient quelques amabilités, remarques sur le temps et autres sujets sans importance. Elle était à présent, semblait-il, bien mieux disposée à son égard, d'autant que sa femme, Charlotte, cultivait un peu d'herbe dans son jardin. Adolescente, elle avait eu la main arrachée par un train et la douleur était toujours présente, après toutes ces années, et quand elle devenait trop forte, fumer de l'herbe était le seul remède qui lui convenait. Elles avaient plus ou moins sympathisé et Marc savait qu'il devait en tenir compte. Si Diana s'était précipitée pour alerter Serge, mieux valait ne pas se tromper de camp.

Il aurait pu se poser des questions s'il l'avait voulu, se demander s'ils cachaient la vraie nature de leur relation, par exemple, mais il refusait d'entrer dans ce jeu-là. Elle avait besoin de distractions, de compagnie, sous peine de la voir s'enfoncer à nouveau et couler à pic. Point barre. Et si Serge devait faire partie de la solution, il devait l'accepter. La protéger ne signifiait pas l'enfermer. Penser à elle avant tout. C'était comme une mission, Patrick leur avait confié une mission, à Joël et à lui, et il s'y tenait, même si certaines choses lui restaient en travers de la gorge — pas de simples coups de poing dans la gueule. La cerise sur le gâteau, bien entendu, était que Serge soit un flic — ce qui paraissait hautement probable. Joël avait grincé des dents en apprenant ça, mais lui aussi l'avait avalé, lui aussi la trouvait moins pâle et croisait les doigts pour que ça dure, et fermait les yeux sur le reste.

Le sifflement du moulinet trancha le fil de ses pensées. Il sauta de son siège et empoigna la canne qu'il logea dans son harnais. Il y avait une petite houle. Ça tirait ferme. La ligne se dévidait avec un bruit d'hélice. Une dorade ou une bonite. Personnellement, il préférait la bonite.

Une demi-heure plus tard, le fond du cockpit était couvert de sang dilué, la bonite était en tranches, les mouettes se disputaient la tête et Marc en avait encore le souffle court, elle s'était défendue jusqu'à la dernière minute, se débattait encore sous la lame du couteau. Il n'était pas tard mais la lumière commençait à baisser, des nuages sombres filaient entre le ciel et l'océan. C'était le temps qu'il préférait, absolument incertain, légèrement plombé, violacé. D'ordinaire, il coupait le moteur à deux milles de la côte et se laissait dériver en buvant un whisky, observant le ciel et attendant que ça morde et tant pis s'il n'attrapait rien. Il vivait au bord de l'océan, il en acceptait les règles.

Il nettoya au jet les rigoles rosâtres que le clapot envoyait d'un bord à l'autre entre ses pieds.

Il rentra à la tombée de la nuit, ils arrivèrent en même temps — elle sortait d'un taxi tandis qu'il cherchait ses clés.

Ne t'approche pas trop, dit-il, je pue le poisson. Laisse-moi le temps de filer sous la douche.

Elle hocha la tête. Oui, répondit-elle, j'y vais moi aussi. Il faisait une chaleur dans ce taxi, j'en ai les joues encore brûlantes.

Il fit un détour par la cuisine pour mettre son poisson au frais. La pièce était plongée dans l'obscurité et la nuit pareille à un rideau noir devant les fenêtres malgré une lune gibbeuse ascendante qui n'en pouvait mais, tant les nuages se pressaient pour lui faire obstacle. Il jeta en passant un coup d'œil dans la rue et s'arrêta net.

Deux types tournaient autour de sa voiture. Ils scrutaient l'intérieur avec leurs torches électriques, penchés en avant, la main en visière. Marc abandonna la bonite dans l'évier et fila vérifier que la porte du rez-de-chaussée était bien verrouillée.

Puis il remonta à l'appartement, ferma à clé et réfléchit un instant à ce qui pourrait bien constituer une arme. Un tuyau de plomb aurait fait l'affaire ou même un pistolet à grenaille mais il n'y avait rien de tel par ici, à part un vieux couteau à viande qui avait fait son temps. Il s'en empara cependant, et hocha la tête, ravala sa grimace, on l'avait bien en main.

Dehors, entre-temps, les deux types avaient disparu. On pouvait penser qu'ils étaient partis mais aussi bien étaient-ils tapis dans l'obscurité, prêts à forcer une serrure ou casser un carreau et Marc se rendit aussitôt compte qu'il ne pourrait pas être partout. Il entendait la douche couler dans la salle de bains de Diana car la porte de sa chambre était restée ouverte.

Il entra sans frapper, referma derrière lui. Il se tourna vers elle avec l'index en travers de la bouche et colla son oreille au panneau.

J'ai entendu du bruit, déclara-t-il à voix basse. Vaut mieux qu'on reste ensemble.

Elle gardait son peignoir fermé d'une main, de l'autre elle tenait sa canne. Il aurait pu rester là, à la regarder, sans voir le temps passer, d'autant qu'avec ses cheveux encore mouillés, sa longue cicatrice, il la trouvait plus belle que jamais.

Je peux savoir ce que tu comptes faire avec ce couteau, demanda-t-elle.

Il ne répondit pas, tendit de nouveau l'oreille vers la porte. Puis se redressa. J'entends plus rien, dit-il. J'ai dû me tromper.

En tout cas, tu empestes, dit-elle.

Un peu plus tard, après une inspection méthodique des lieux et une douche avec un gel Timbuktu aux senteurs africaines, il avait presque oublié l'incident, la tension était retombée. Dans le ciel, les nuages s'étaient dispersés et la lune se réverbérait sur l'océan, étincelait sur le sable mouillé à chaque reflux.

Marc, ne me dis pas que c'est rien. Ce n'est pas rien, pas du tout.

Oui, mais ça va se régler. Joël s'en occupe.

Ah, alors tout va bien, nous sommes sauvés si Joël s'en occupe.

Il ricana. Il ne risquait pas de se laisser entraîner dans cette voie. Il se resservit du vin.

Charlotte m'a donné de l'herbe, reprit Diana.

Sans attendre, elle monta dans sa chambre et il en profita pour regarder dehors et tout était calme. Mais ils allaient revenir, ne pas se faire d'illusions. Au moins, il était prévenu. Elle redescendit et il entreprit de rouler un joint.

Elle le regarda faire un instant. Il s'y était toujours pris mieux que Patrick qui lui confiait régulièrement la tâche.

Les joints de Marc étaient parfaits. Il était très agile de ses mains.

Tu penses que c'est un policier, demanda-t-elle.

Il mit quelques secondes à réagir, à lever les yeux de son affaire, puis il répondit qu'il n'en savait rien. Mais c'est le fils du maire, ajouta-t-il, c'est pas juste un marchand de piscines, tu vois.

Il la fixa, mais elle demeura impassible.

Elle allongea sa jambe gauche sur un pouf. Elle me fait mal, en ce moment. L'humidité, je crois.

L'herbe de Charlotte était bonne. Le moment était sans doute mal choisi pour se défoncer, avec ces deux types qui traînaient peut-être encore dans les parages et les différents problèmes personnels qui les taraudaient, elle et lui, les mensonges, les frustrations, le désir, les non-dits, mais les occasions de fumer de l'herbe avec Diana, juste tous les deux, étaient trop rares pour qu'il en laissât passer une seule.

Il envoya quelques anneaux de fumée au plafond. Elle est sympa, Charlotte, déclara-t-il en hochant la tête. Elle est très sympa, tu pourras le lui dire de ma part.

Lorsque Marc ouvrit les yeux, le soleil brillait, l'aveuglait. Il grimaça et attendit de reprendre ses esprits pour se lever. Il était en peignoir de bain, ses mules encore aux pieds, et le lit n'était pas défait. Il se souvenait d'avoir porté Diana endormie dans sa chambre, d'avoir tiré une couverture sur elle et peut-être les rideaux, également, avant de ressortir sur la pointe des pieds — autant que faire se pouvait.

Joël devait déjà l'attendre — ce qui n'était pas trop

difficile pour lui puisqu'il dormait sur place. Il était huit heures du matin, il s'habilla en vitesse. Il croisa Édouard qui ouvrait le cabinet avec un bonnet péruvien sur le crâne, et de fait la fraîcheur de la nuit tardait à s'estomper dans le ciel bleu.

Si fumer avec Diana était rare, songeait-il au volant de sa P1800 vert cyprès, la porter, la tenir dans ses bras, contre lui, ne s'était encore jamais produit.

Joël prenait le soleil sur le quai lorsque Marc le rejoignit.

Non, je prends pas le soleil, déclara-t-il avant de tourner la tête. Je viens d'arriver. J'étais aux urgences.

Il avait effectivement un pansement au milieu de la figure. Marc fronça les sourcils et fit l'étonné.

Elle m'a cassé le nez, reprit Joël. Elle m'a frappé avec un cendrier et elle m'a laissé me démerder. C'est un cauchemar.

Quelques bateaux commençaient à sortir, des mouettes s'envolaient des toits avec cette grâce absolue, sidérante, les dernières feuilles d'automne frissonnaient dans la lumière, leur ombre s'évaporait et Marc resta un moment sans voix, ne pouvant s'empêcher de penser au truc que Jack Nicholson avait sur le nez dans *Chinatown*.

Il proposa à Joël de le remplacer pour recevoir les acheteurs — un Antares 9 devait être livré aujourd'hui et Marc était censé le préparer —, mais Joël repoussa l'offre et s'enferma dans son bureau tandis que Marc enfilait des gants et des surchaussures avant de monter à bord.

Il se mettait tout juste à vérifier les instruments de navigation quand Joël pénétra dans le cockpit avec la mine renfrognée du porteur de mauvaises nouvelles. Il fixa Marc un instant puis baissa la tête.

On s'est battus, fit-il entre ses dents.

Quoi, grimaça Marc, j'ai pas entendu.

On en est venus aux mains, annonça Joël. Nom de Dieu. Comment c'est possible. J'y crois pas.

Il se laissa choir sur la banquette. Il faisait son âge, subitement, la soixantaine sonnée, les épaules tombantes, le teint gris, la mèche déconfite.

Ben si c'est ça, je vais pas vous faire mes compliments, soupira Marc. C'est tout ce que je peux dire. Et Brigitte, comment elle va dans l'histoire.

Joël eut un soupir exténué. J'en sais rien, dit-il. J'essaie de l'appeler, elle répond pas. J'en sais rien. Ça m'inquiète.

Et pourquoi ça t'inquiète. Sois plus clair.

J'en sais rien, j'en sais rien, s'énerva-t-il. Je lui serrais la gorge quand elle m'a explosé la figure, d'accord, j'ai failli m'évanouir. Je me suis relevé en titubant et j'ai déguerpi sans me retourner. Complètement estourbi, putain de merde.

Ils se regardèrent un instant en silence, puis Marc ôta ses gants, retira ses protège-chaussures et reprit pied sur le quai.

Je te tiens au courant, dit-il. Donne-moi tes clés.

Il secoua la tête pendant que Joël tâtait fébrilement ses poches. Non, mais regarde-toi, marmonna-t-il en tendant la main, j'hallucine.

Devant le hangar, le chef d'atelier et la secrétaire, qui

fumaient au soleil leur première cigarette, le suivirent des yeux en échangeant quelques mots à voix basse. Ces deux-là, ce qu'ils aimaient, c'était se peloter dans les coins et jouer les commères.

Au premier feu, il tenta d'appeler Brigitte et tomba sur son répondeur. Les gens cherchaient à se garer au bord de l'océan, ce qui ralentissait la circulation — et quand un imbécile attendait qu'un autre imbécile libère la place tout s'arrêtait, et c'était une chance, dans ce pays, que les gens ne soient pas armés. Marc ouvrit son carreau alors qu'ils avançaient au pas en suivant le bord de mer et il sentit le soleil sur son avant-bras, comme un regain d'été indien — il ne manquait que le parfum de l'huile de monoï et de barbe à papa, mais c'était toute la différence car il y avait à présent une légère odeur de moisissure dans l'air, de végétaux fanés, d'algue morte qui floutait le tableau. Des adultes faisaient de la trottinette sur les trottoirs, des adultes cherchaient des coquillages, des adultes faisaient du coloriage, des adultes regardaient vers le ciel sans penser à rien.

Il donna quelques coups de klaxon. Et il était patient en comparaison de son frère qui serait déjà descendu et aurait ajouté du chaos au chaos. Il se souvenait du jour où Patrick avait délogé un chauffeur de bus et sorti l'engin d'un rond-point où il emmerdait tout le monde. Il se demandait comment Patrick aurait réagi à cette histoire entre Joël et Brigitte. C'était autre chose que des amis, c'était compliqué, c'était la famille. Il tapota sur son volant et abaissa son pare-soleil sur la face cachée duquel apparut un polaroid de Patrick, datant de quelques mois avant sa mort — hilare et tenant son jeune frère par le cou.

Marc fixa la photo durant deux ou trois secondes puis rabattit le pare-soleil d'un geste brusque. Il longeait toujours l'océan, précédé d'un mobil-home d'une taille impressionnante, flanqué de vélos, planches de surf, canoë, roue de secours, etc., qui occupait la moitié de la route et avançait sans se presser.

Impossible de le dépasser, il s'arrêtait presque devant les ralentisseurs, pilait à l'orange, s'endormait au vert, il causait à lui seul un bouchon invraisemblable. Il n'y avait rien à faire. Il essaya d'appeler Brigitte plusieurs fois durant la demi-heure qu'il passa au volant avant de pouvoir sonner à sa porte. Il s'attendait à la trouver ébouriffée, encore rouge de colère, et il se préparait à en entendre sur Joël, ça promettait d'être un moment désagréable. Il aimait bien Brigitte. Il lui avait appris à jouer au poker, à nager sur le dos. Elle voulait devenir actrice, elle en parlait. Elle avait trente ans de moins que Joël, lequel attribuait à cet écart la principale raison de leurs problèmes conjugaux. Le fossé est devenu si béant, si large, disait-il, il faudra bientôt un porte-voix pour se parler d'une rive à l'autre. On ne voit pas les choses de la même façon, elle et moi, si tant est qu'on les ait jamais vues, c'est tout, inutile de chercher plus loin.

Il sonna, longuement, n'obtint pas de réponse, entra. Il appela Brigitte en se dirigeant vers le salon — qui soit dit en passant jouissait d'une vue magnifique sur l'océan, sans vis-à-vis, avec terrasse, orangers et citronniers en pots.

Il découvrit Brigitte derrière le canapé. Elle était bleue. Elle était morte. Il se retrouva scotché sur un pouf, interdit, déglutissant avec difficulté. Quand il avait appris la mort de Patrick, il avait fait un malaise, rien de comparable, certes, mais il avait le cœur serré en la regardant. Il se pencha pour lui toucher la main, lorgna furtivement sa poitrine que ne dissimulait guère son peignoir entrouvert jusqu'au nombril. Ils avaient renversé du mobilier, cassé quelques assiettes sur le carrelage de la cuisine. Ils s'étaient visiblement rués l'un sur l'autre, avec fracas.

Il se leva et se planta devant la baie avec son téléphone.

Tu vois, dit-il, je suis là, je regarde les mouettes voler et je ne sais pas quoi te dire. Tu m'as envoyé ici pour quoi, j'aimerais bien savoir.

Marc, dis-moi ce qui se passe.

Arrête, Joël. Arrête.

Quoi. Que j'arrête quoi.

Marc serra les dents. Il regarda son téléphone puis coupa la communication sans répondre.

Il retourna près de Brigitte qui gisait sur le tapis les yeux grands ouverts. Il la souleva et la déposa sur le canapé. Elle n'était pas encore raide. Il lui croisa les mains sur le ventre, allongea ses jambes, elle sentait encore bon, elle avait encore la marque de son maillot de bain, le vernis de ses ongles était impeccable, d'un rouge Ferrari un peu trop éclatant, en l'espèce.

Il lui tourna le dos et s'empara de la première bouteille

d'alcool qui lui tomba sous la main. Il avalait son premier verre lorsque Joël tenta de le rappeler, mais il ne décrocha pas car il était en train de s'en servir un autre et ne voulait plus lui parler pour le moment.

Pour finir, il se leva pour rabattre les pans du peignoir sur elle, en particulier sur sa culotte blanche avec dentelle qui finissait par l'agacer. Non qu'il ait ruminé une attirance coupable pour la femme de Joël depuis qu'il la connaissait. Certaines pensées lui avaient sans doute traversé l'esprit mais de façon fugitive, sans suite, elle n'était pas la seule femme désirable qu'il croisait en ville ou allongée sur une serviette de plage quasiment nue — et ça n'avait d'autre effet sur lui que de le mettre de bonne humeur et ça n'allait pas plus loin. Ce qui expliquait en partie pourquoi, en dehors de quelques tripatouillages qu'il n'avait pas poussés jusqu'à leur terme, il était sur le point d'avoir trente-trois ans et n'avait encore jamais couché avec une femme.

Plus jeune, étant d'un caractère plus réservé que son frère qui les baisait toutes, il avait décidé qu'il n'était pas pressé de le faire et il ne l'était pas davantage à présent. Au pire il se branlait sous la douche, ce n'était pas une obsession. Au mieux, il ne se sentait plus honteux d'être vierge. Maintenant, il l'assumait, il n'y pensait même plus, il commençait presque à en être fier.

Il appela Joël.

Il lui sembla, à l'autre bout du fil, entendre une sorte de bruit de gorge exaspéré.

Bon Dieu, Marc, qu'est-ce qui se passe, qu'est-ce que tu fous. Elle est pas là, Brigitte.

Si, elle est là.

Passe-la-moi.

Elle est à côté de moi, tu sais. Elle est morte.

Après quelques secondes de silence, Marc l'entendit déglutir, puis gémir. Tu ferais mieux d'arriver en vitesse, lui dit-il.

Il sortit un moment sur la terrasse pour respirer. Il s'installa sur la balancelle. Malgré la fraîcheur, on sentait la douceur du soleil. Bientôt, ce serait les fêtes et l'on plongerait au cœur de l'hiver, il fallait en profiter. Brigitte était morte et Joël venait de foutre le reste de sa vie en l'air. La balancelle grinçait à un rythme régulier, le décor montait puis descendait. Il se demanda si Joël pouvait se retrouver en prison, peut-être même jusqu'à la fin de ses jours, et la réponse était oui. Les types qui étranglaient leur femme en ressortaient au mieux avec des cheveux blancs.

Joël n'était pas mort, mais la différence était mince. Tout allait devenir plus compliqué sans lui. Il somnola. Le carillon de l'entrée tinta. Le pansement de Joël avait pris la couleur d'un tablier sale, un peu de sang avait coagulé sous la compresse et l'hématome commençait à colorer son visage, à en accentuer les cernes.

Il s'arrêta les bras ballants devant la dépouille de Brigitte, le souffle court, les poings serrés, les yeux exorbités.

Je l'ai étranglée, tu crois, fit-il d'une voix hésitante.

Il se tourna vers Marc avec une grimace d'effroi, mais celui-ci demeura muet, sombre, immobile.

Bon Dieu, mais qu'est-ce que j'ai fait, grogna Joël en regardant ses pieds. J'ai pas pu faire ça. Je l'aimais. C'est sûrement à cause du coup de cendrier qu'elle m'a flanqué, mais là j'étais plus moi, je ne sais plus, je me revois arriver aux urgences avec mon nez qui pissait le sang et c'est tout.

Marc se mit à marcher de long en large. Joël était tombé à genoux devant Brigitte et il sanglotait. Dehors, le soleil flamboyait sur l'océan.

Sans doute était-ce le moment de réfléchir, se disait Marc, de ne rien entreprendre que l'on pourrait regretter plus tard — mais ses pensées n'allaient pas plus loin, se désintégraient dans la seconde. Joël était toujours à genoux devant la dépouille de sa femme, et cette fois il secouait la tête d'avant en arrière, psalmodiait entre ses dents, peut-être même priait-il ou Dieu sait quoi.

Marc se posta de nouveau devant la baie, les mains dans le dos, la gorge sèche, la tête vide.

Une mouette se posa sur le balcon, puis une autre. Marc s'aperçut que Joël leur donnait à manger par la fenêtre de la cuisine et il alla jeter un coup d'œil et Joël leur lançait des corn flakes qu'elles attrapaient au vol et lui-même se servait au passage.

Il fallait que je mange quelque chose, déclara celui-ci. Je tenais plus sur mes jambes. En tout cas, appelle la police.

Marc le considéra un instant sans savoir quoi penser. D'accord, finit-il par lui dire. Si c'est ce que tu veux. Je vais les appeler. Mais ça va arranger quoi. Quand ils t'auront bouclé, ça avancera à quoi. Elle est morte. Faire de la taule pour qui. Dis-moi, faire ça pour qui. Elle est morte.

Joël tourna la tête et haussa les épaules. T'en crois pas un mot, dit-il, pas vrai, t'en crois pas un mot de ce que tu dis.

Marc s'avança vers le frigo, attrapa une bière qu'il décapsula avec son briquet et tourna les talons sans répondre cependant que les mouettes entamaient de nouveau leur cirque devant Joël — dans le soir naissant, leur plumage était d'un blanc absolu, éblouissant.

Je connais pas le numéro de la police, lança-t-il depuis le salon.

Moi non plus, répondit Joël de la cuisine.

Ils se quittèrent à la nuit tombée. Joël regagna son bureau et Marc retrouva sa chambre et son carnet sur lequel il gribouilla durant un bon moment — quoique funeste, la journée s'était révélée intense — avant de filer vers la cuisine car il n'avait rien avalé depuis le matin.

De la lumière filtrait encore de la chambre de Diana — ce qui signifiait qu'elle ne dormait pas et pouvait surgir à tout moment et trouver qu'il faisait une drôle de tête. Or il n'était pas en mesure de s'en défendre ni de discuter de quoi que ce soit — avec quiconque, d'ailleurs, mais davantage encore avec elle.

Par prudence, il laissa donc la cuisine dans la pénombre — on y voyait assez clair pour confectionner un sandwich sans se couper un doigt. Et bien lui en prit car il mordait nerveusement dans son pastrami-cornichons à la russe, posté devant la fenêtre — où un fin croissant de lune déposait un voile timide sur l'océan noir et sur les toits, les voitures garées, l'avenue bordée de palmiers que décimait un papillon d'Amérique —, mordait dans son sandwich, donc, les épaules voûtées, le regard sombre, et donc bien lui en prit car elle arriva dans son dos en poussant un bâillement qui le fit sursauter.

Marc, tu es là, dit-elle, mais qu'est-ce que tu fabriques dans le noir.

Il s'étrangla légèrement mais para au plus pressé. Je regardais le ciel, répondit-il. On voit mieux les étoiles dans le noir, n'allume pas.

Elle s'avança dans la cuisine tandis qu'il cherchait à se recomposer en pensant à quelque chose de drôle ou à des couleurs lumineuses.

Je vais virer cet imbécile d'Édouard, déclara-t-elle. C'est décidé.

Oh oh, fit-il.

Mais je n'ai pas envie qu'on en parle. Ce n'est pas intéressant.

Il lui proposa un verre. Il avait encore des sueurs froides eu égard aux évènements de la journée. Il lui céda son poste d'observation et s'en alla remplir deux verres de martini blanc — il n'aimait pas ça du tout, ou alors avec un maximum de gin, mais c'était pour lui faire plaisir, pour détendre l'atmosphère, semer un peu d'innocence comme on jetterait de la poudre dorée sur un manteau noir.

Tu sais qu'on peut te voir de la rue, dit-il en lui tendant son verre.

Mais non, bien sûr que non.

Bien sûr que si, je te le garantis.

C'est désert. Il n'y a personne.

Il y a moi, sinon. Je ne sais pas.

Elle haussa les épaules. Tu en fais une tête, lui dit-elle.

Non, pas du tout. Mais si tu pouvais fermer ta chemise.

Ma poitrine, Marc, c'est tout ce qu'il me reste de présentable.

Elle n'en noua pas moins les pans de sa chemise autour de ses hanches. Il aurait pu lui dire qu'il la trouvait plus belle que jamais, si ça pouvait la rassurer. Mais rien ne pouvait la rassurer.

Est-ce que quelque chose te tracasse, demanda-t-elle.

Non, je suis crevé, c'est tout. Petite dépression automnale. Je cherche mais je ne vois pas de quoi tu parles. J'ai perdu pas mal de fric depuis quelques jours, que des jeux de merde, mais ça va, j'encaisse le coup, je suis sûr que la chance va revenir.

Je peux mettre un bas de pyjama, si tu veux.

Non, t'embête pas pour moi, je vais monter. Je disais ça pour toi. Il y a des tas de raisons pour ne pas se montrer à moitié nue devant sa fenêtre, avec tous les cinglés lâchés dans la nature. Le taux de connards ne varie pas, malheureusement. Et je suis pas toujours là.

Mange au moins ton sandwich, dit-elle. Tiens-moi un peu compagnie.

Bien sûr. Pas de problème.

Figure-toi que c'est son neveu. Je ne le savais même pas.

Son neveu. Ce con de Dominique. Il fallait s'y attendre. Je n'ai jamais compris comment tu pouvais fréquenter de tels abrutis. Ne le prends pas mal, mais putain. Ils sont tellement indignes de toi.

Elle appuya ses fesses contre l'évier. Je l'ai eu au téléphone, dit-elle. Il était furieux. Méconnaissable.

Je vois très bien. J'ai percé ce connard à jour dès la première minute. J'ai vu son vrai visage.

Elle l'interrompit pour lui dire qu'elle avait encore un peu d'herbe de Charlotte et qu'elle comptait s'en servir parce que sa jambe lui faisait mal.

Ça pourrait te dérider plus ou moins, ajouta-t-elle.

Elle m'a scotché, hier soir, déclara Marc. Ça rigole plus avec le bio. Je me suis réveillé ce matin encore tout habillé. Je vais boire un whisky en même temps, si ça ne t'ennuie pas.

Il se leva pour se servir pendant qu'elle remontait à sa chambre, cramponnée à la rampe et se hissant marche par marche avec sa canne. En temps normal, il lui aurait proposé d'aller chercher l'herbe à sa place pour lui épargner un effort inutile, mais il s'en garda bien, il avait besoin de quelques minutes de tranquillité pour faire le point. Il grimaça.

Il s'était révélé si mauvais. C'était désastreux. Il n'avait

73

pas été fichu de ravaler ses états d'âme, de garder l'air naturel. Elle lisait en lui comme dans un livre ouvert, il s'était immédiatement trahi. Quel acteur de merde il aurait fait. Mais c'était comme une espèce de corset qui lui enserrait la poitrine et l'étouffait puis se relâchait d'un seul coup et le laissait un instant interdit. Certaines choses ne s'avalaient pas si facilement, elles créaient d'étranges tensions. Il descendit son verre et s'en versa aussitôt un autre.

Quand elle revint près de lui, il se sentait mieux armé, plus calme. Il s'occupa de rouler un joint. Elle le regarda faire. Elle lui apprit que Brigitte lui avait fait faux bond dans l'après-midi et qu'elle n'était pas parvenue depuis à la joindre.

Parfois la connexion est complètement pourrie, déclara-t-il. On se croirait à la campagne.

Il lui tendit le joint pour l'allumer. L'objet était vraiment beau, fin, élégant, avec sa robe blanche et son petit chapeau pointu.

Elle est grande, reprit Marc, c'est une grande fille. Peut-être qu'elle a un amant, ou je ne sais quoi. Je ne m'inquiète pas pour elle.

Il se demanda comment de tels mots pouvaient sortir de sa bouche. Il resta un moment avec elle, à jouer aux cartes devant leur première flambée de novembre, mais il s'abstint de fumer car il avait rendez-vous avec Joël un peu plus tard, au beau milieu de la nuit. Il avança qu'il était fatigué et que fumer l'empêchait de dormir. Il ne tira que deux ou trois bouffées, juste pour l'accompagner. D'un léger sourire, elle lui montra qu'elle n'y était pas insensible.

Il monta dans sa chambre et s'allongea sur le lit. Il n'aimait pas la laisser seule le soir. Il avait beau se dire qu'elle allait bien, on ne savait jamais.

Quand il sortit, elle avait regagné sa chambre. Il se glissa dehors sans bruit, referma les portes à clé derrière lui. Dehors, le froid commençait à être piquant, il remonta son col.

Joël était prêt. Il avait emmailloté Brigitte dans un drap pour le transport, mais dessous il lui avait mis une jolie robe, quelques bijoux, et coiffée, légèrement maquillée, elle était superbe.

Marc approuva d'un hochement de tête. Il avait la gorge serrée d'être à nouveau si proche de la dépouille de Brigitte.

Il regarda Joël droit dans les yeux, puis ils empoignèrent le drap et foncèrent dans l'ascenseur.

Jusqu'au bout, ils profitèrent de la nuit noire et ce ne fut qu'une fois à bord qu'ils soufflèrent tandis qu'ils s'éloignaient du quai presque en silence, le moteur tournant à bas régime

En dehors du petit matériel qu'il s'était chargé de réunir, Joël avait confectionné des sandwiches, rempli un thermos de café, embarqué des chips et des mini-bretzels. Il était deux heures du matin, la nuit était d'un noir profond. Ils n'avaient envie de parler ni l'un ni l'autre. Marc mit le cap au large et enclencha le pilote automatique. L'océan était calme, presque d'huile. Ils s'enfoncèrent dans l'obscurité et au bout d'une demi-heure il coupa le moteur parce que Joël s'était mis à vomir tout à coup, penché par-dessus bord. Ce n'était pas étonnant. Il tira un seau d'eau et se nettoya brièvement le visage et les mains. Marc attendit qu'il ait fini pour lui dire qu'il était temps de s'y mettre, et Joël fondit en larmes mais il s'acquitta de sa tâche, il fixa dix kilos de fonte avec des sangles à chaque bras de Brigitte tandis que Marc s'occupait de lester les jambes. Ils étaient loin de la côte, elle allait couler à pic. Ils la hissèrent sur le plat-bord et l'abandonnèrent en pleine mer. Elle disparut en trois secondes dans les eaux sans fond, comme aspirée. Joël lui envoya une poignée de pétales de fleurs qu'il sortit de sa poche et qui eux restèrent à la surface — ils étaient d'ailleurs vendus exprès pour.

Au retour, ils n'avaient toujours pas échangé un mot. Sur le quai ils hésitèrent à s'embrasser, décidèrent de s'appeler en fin de matinée et ils se séparèrent. Joël prit le chemin du canapé de son bureau et Marc rentra chez lui.

Diana n'était pas encore couchée. J'ai pris tout son bazar et je l'ai flanqué dans une boîte, dit-elle. Le bonnet péruvien est à lui, j'imagine.

Marc acquiesça. Mon Dieu, soupira-t-elle en secouant la tête, enfin bref, encore un de ces mystérieux tours en bateau.

Avec ses bottes de caoutchouc et son ciré, il n'allait pas lui déclarer qu'il rentrait d'un dîner en ville.

Ils n'ont rien de mystérieux, répondit-il. Je te l'ai déjà dit.

Qui peut apprécier de faire du bateau dans le noir, lâcha-t-elle avec un haussement d'épaules. C'est plutôt absurde.

Il accrocha son ciré, enleva ses bottes dans la cuisine.

Eh bien, pourquoi ne m'emmènerais-tu pas une de ces nuits, proposa-t-elle, que j'essaie de comprendre de quoi tu parles.

Ça marchera pas, annonça-t-il d'emblée. Ça marchera pas, il faut être seul. C'est la condition absolue. Faut pas être dérangé.

Voyant qu'elle était encore défoncée, il ne bouda pas un dernier verre. Il avait toujours en tête l'image de Brigitte que les flots engloutissaient et il ne voulait pas s'éterniser là-dessus.

Si je comprends bien, dit-elle, tu ne veux pas de moi.

Non, tu n'y es pas du tout, répondit-il. On peut faire une balade un soir, quand tu le souhaites. Mais tu ne seras pas plus avancée. Ça peut t'amuser, remarque. Mais ça ne te dira rien, je préfère seulement t'avertir. Que tu ne viennes pas m'annoncer que j'invente, après.

Elle avait investi le canapé où elle pouvait étendre ses jambes et elle rayonnait devant les braises de la cheminée. Après cette infernale et terrible journée, il appréciait de terminer la nuit sur un visage souriant.

Il lui demanda si l'herbe avait eu l'effet escompté sur sa jambe. Oui, répondit-elle, mais j'ai la bouche un peu sèche.

Il lui apporta un Perrier.

J'ai trouvé une nouvelle assistante, dit-elle. Une fille

que connaît Charlotte. Je la vois demain. Je ne suis pas folle de joie à l'idée de m'y remettre, mais pas mécontente non plus. Je finis par tourner en rond.

Il se raidit. Tourner en rond était le premier signe annonciateur d'un danger que Marc connaissait bien, de sorte qu'il abonda largement dans son sens. Reprendre le cabinet était la meilleure chose à faire, estimait-il, et sans doute était-ce le bon moment.

Il la considéra un instant puis il vida son verre et se leva tandis qu'elle tâchait de se redresser, ricanant de sa propre maladresse. Sans prévenir, il se pencha sur elle, la souleva dans ses bras avant qu'elle ait pu protester et il s'engagea dans la volée de marches qui conduisait à la chambre de Diana. Quelques secondes plus tard, il la déposait sur son lit, encore tout étonnée.

N'est-ce pas charmant, fit-elle en battant des cils.

À ton service, répondit-il en tournant les talons.

Le lendemain matin, il fut réveillé par des éclats de voix en provenance du rez-de-chaussée. Il faisait déjà grand jour. Il reconnut celle de Diana et sauta de son lit, dévala l'escalier pieds nus, en tee-shirt et caleçon, les yeux à peine ouverts.

Il s'agissait de Dominique. Il semblait très en colère, il hurlait à la tête de Diana comme s'il se préparait à la mordre.

Hé, l'ami, fit Marc, elle est pas sourde.

Toi, te mêle pas de ça, aboya Dominique. J'ai encore deux mots à dire à cette conne.

Marc l'attrapa par les cheveux et le traîna dehors, l'envoya rouler sous un camélia en fleur.

Diana observait la scène de la salle d'attente du cabinet en se mordillant la lèvre. Elle ne savait plus combien de fois il s'était battu pour elle. Dominique se relevait en crachant par terre, le regard torve, tandis que Marc examinait le ciel en faisant la moue et tendait la main pour vérifier qu'il détectait les premières gouttes avant de rentrer.

Une petite pluie fine et serrée s'abattit soudain et la nouvelle assistante, une jeune brune aux cheveux longs, arriva en courant et lui tomba presque dans les bras, trempée comme une soupe.

Il l'écarta de lui gentiment tandis qu'elle bredouillait. Diana était toujours étonnée de la manière dont il se comportait avec les femmes, cette façon presque imperceptible qu'il avait de dresser un écran, de repousser le contact, même s'il finissait par l'accepter de guerre lasse, mais l'écran existait toujours, aussi fin soit-il, elle le voyait très distinctement.

Le bruit avait couru qu'il était homo, à l'époque où elle fréquentait Patrick, mais ça n'avait pas duré. Patrick lui désignait l'un des gars qui alimentaient la rumeur et Marc relevait ses manches et allait se battre avec lui. Ça la rendait folle alors que Patrick, au contraire, était aux anges pendant que son frère roulait dans la poussière et que tout à fait ravi, se tournant vers elle, il disait c'est mon frère, je l'adore.

Marc en avait corrigé quelques-uns et de fait la rumeur s'était rapidement évanouie. Alors il est quoi s'il est pas homo, lui demandaient ses amies. Elle haussait les épaules en riant. C'était davantage à Patrick qu'elle s'intéressait à ce moment-là, son frère n'était qu'un gamin pour elle, et Patrick représentait déjà une grosse énigme à lui seul.

Marc la laissa s'occuper de la nouvelle venue et s'éclipsa tandis que cette dernière, tout en dégouttant sur le seuil, le suivait du regard avec des yeux ronds.

Parfois il met un pantalon, déclara Diana. Et des chaussures à l'occasion, enfin c'est difficile de prévoir.

Elle comprit très vite que Claudie était celle qu'il lui fallait. Elles allaient s'entendre. Elles passèrent la matinée à discuter en changeant la déco de la salle d'attente, en mettant des fleurs, en remplaçant les vieux magazines par des neufs, en accrochant quelques tableaux aux murs et pour finir elles décidèrent que l'affaire était entendue.

Elles auraient presque pu s'embrasser au moment de se quitter, mais Diana lui tendit la main, sinon c'était un peu comme de coucher le premier soir, non. Elle avait environ l'âge de Claudie quand elle s'était installée et elle aurait dû lui dire ce qui l'attendait, ce que ce genre de vie avait à lui offrir. Elle se contenta de lui sourire et de lui donner rendez-vous le surlendemain, aux aurores, à sept heures précises, et de la remercier pour le coup de main.

Elle appela Charlotte pour lui dire que Claudie semblait

être l'oiseau rare mais Serge décrocha et s'énerva aussitôt.

Alors qu'est-ce que tu fous, s'étrangla-t-il, je cherche à te joindre depuis trois jours, mais qu'est-ce que tu fabriques.

Eh bien je ne sais pas, j'ai une vie, je ne suis pas toujours pendue à mon téléphone. J'allais t'appeler, bien sûr.

Je veux qu'on trouve un moment pendant le week-end.

Ce week-end. Ma foi oui, pourquoi pas.

Tu me fuis ou quoi.

Pas du tout. Je ne te fuis pas du tout. Mais quelle mouche te pique, subitement.

Je le sens, c'est tout.

Oh. Tu veux dire que ça te contrarierait si c'était le cas, écoute, passe-moi Charlotte.

Elle est sous la douche, je lui fais signe. Bon Dieu, elle est à poil et elle me fait même plus bander. Quelle tristesse. Bon, je vais te la passer, je te rappelle.

Pendant que l'appareil changeait de main à l'autre bout, Diana ferma le cabinet et prit l'ascenseur. Non, mais je voulais te remercier, dit-elle. Tu as eu le nez fin, c'est le genre de fille que je cherchais. Merci, tu m'enlèves une sacrée épine du pied.

Elle sortit ses clés et rentra chez elle pendant que Charlotte lui répondait qu'il n'y avait pas de quoi.

Et aussi pour ton herbe fantastique, ajouta Diana en se laissant choir dans un fauteuil. Je t'aurais embrassé les mains, l'autre soir. J'avais avalé des cachets toute la journée mais c'est ton herbe qui a réglé le problème, je me suis levée et j'ai pu marcher, faire le tour de la chambre comme si de rien n'était, alors qu'une heure plus tôt le moindre pas m'arrachait une grimace.

Elle est bio, qui plus est.

Non, mais elle est formidable. C'est pour ça que je suis pour l'interdiction, c'est quand même plus jouissif.

Puis elle termina la conversation, s'enfonça dans le fauteuil, brancha ses écouteurs — elle écoutait Sun Kil Moon en boucle depuis quelque temps — et ferma les yeux. Elle aurait dû se sentir soulagée, libérée d'un sérieux problème, et c'était le cas sans aucun doute, mais ça n'enlevait rien au poids des autres.

Quelques heures plus tôt, Marc avait filé en laissant les deux femmes faire connaissance et il avait retrouvé Joël dans son bureau. Il était encore tôt mais il n'avait pas apporté de croissants. Un temps maussade avait succédé à la méchante petite pluie qui avait balayé la côte, des éclats de ciel bleu perçaient entre les nuages sombres et formaient des vitraux de cathédrale au-dessus de l'océan.

Le bureau commençait à sentir le chien et Marc ouvrit les fenêtres pendant que Joël changeait son pansement devant le miroir des toilettes qui lui servaient de salle de bains, avec leur petit lave-mains ridicule et leur néon sinistre de trente centimètres.

Tu leur dis que vous ne vivez plus ensemble mais que tu t'inquiètes. Tu penses que c'est bien de signaler une disparition, tu fais un peu l'idiot, tu sais rien de plus, tu t'éternises pas. On ira boire un café après, j'ai besoin de boire un café.

Joël s'installa devant lui et resta quelques secondes à considérer Marc, puis il sortit son téléphone pour appeler la police et il joua la scène pour de bon.

Ensuite ils embarquèrent un sac de produits d'entretien et retournèrent à l'appartement.

Je suis désolé de t'avoir entraîné là-dedans, déclara Joël de but en blanc tandis qu'ils se garaient devant l'escalier de service.

Un ange passa. Marc garda les yeux fixés droit devant lui, puis il finit par opiner et il lâcha le volant et ils descendirent. L'air humide avait une légère odeur de pourriture végétale qui le saoula presque.

Ils ramassèrent la vaisselle cassée, les vases brisés, tout ce qui pouvait avoir un lien avec le drame qui s'était déroulé ici, les traces de sang sur le tapis, le cendrier que Joël avait pris dans la figure, etc. Ils mirent plus de deux heures à faire place nette. Joël décongela un poulet fumé.

Rappelle-les dans deux jours, fit Marc. Dis-leur que tu as sonné chez elle et que tu n'as pas eu de réponse. Je pense que c'est bien de faire ça, tu n'as pas l'air de te planquer.

Ils mangèrent le poulet en silence, une assiette sur les genoux.

Je ne voulais pas ça, Dieu m'est témoin, avança Joël d'une voix sans forces, le regard baissé.

Tu voulais quoi, répliqua Marc en le raillant. Tu pensais à quoi en lui tordant le cou, dis-moi.

Il se leva et vida les restes de son assiette dans la poubelle. En tout cas, inutile de traîner ici, dit-il.

Je te demande pas de partager mon fardeau, déclara Joël.

Ben tu fais bien.

Je comprends ce que tu peux ressentir.

Bien sûr. Maintenant monte dans cette voiture et barrons-nous.

Ils s'arrêtèrent en chemin pour acheter une penderie démontable car Joël avait embarqué quelques affaires dans une valise et il ne savait pas où les mettre.

Dès qu'ils arrivèrent, Joël se retira directement dans son bureau et Marc l'abandonna au milieu de ses tringles, de ses tubes, de ses roulettes, de sa housse en tissu intissé, assis devant ce tas incompréhensible qu'il fallait à présent monter en s'arrachant les cheveux. Marc refusa de s'en mêler et passa une partie de son après-midi à faire quelques tours en mer, à bavarder avec des clients.

La lumière du jour commençait à baisser lorsqu'il remonta dans le bureau de Joël et qu'il trouva celui-ci à la même place, n'ayant pas bougé d'un millimètre, raide sur son fauteuil, le regard perdu.

Marc fit remarquer que ça n'avançait pas beaucoup, tout en observant Joël qui semblait assez pâle — en dépit du jaune cireux, violacé de son visage aux cernes bleuâtres et du blanc de ses yeux injectés de sang.

Joël, tu te sens bien, demanda-t-il.

Bientôt, des policiers allaient l'interroger et la catastrophe était prévisible s'il arborait cet air de chien battu, flanqué de son foutu pansement sur le nez. Sans doute, Marc tâcherait-il d'être là pour expliquer à l'inspecteur de service que son ami Joël était très perturbé par la disparition de sa femme, vous comprenez, il en perd le sommeil, il ne mange plus, se cogne dans les portes, vous comprenez.

Attendez, m'sieur, elle est pas encore morte, dirait le gars en prenant des notes tandis qu'on entendrait des sirènes d'ambulance, de police, de pompiers dans le lointain. Mettons pas la charrue avant les bœufs, m'sieur.

Joël finit par relever la tête, le regard vide. Marc annonça qu'il s'en allait, la nuit tombait, les drapeaux flottaient légèrement, les mâts se balançaient un peu, l'eau clapotait sous les pontons.

Perplexe, Marc rejoignait le parking quand Serge l'attrapa au vol.

Salut. Est-ce qu'on peut se parler cinq minutes. Au sujet de Joël. Il file un mauvais coton, non.

Oui, c'est la disparition de Brigitte. L'angoisse grandit de jour en jour.

Oui, quelle tuile, non, mais quelle tuile. Il est bouleversé.

Oui, je le quitte à l'instant. Ça ne va pas très fort.

Oui, je m'en doutais. On a un problème avec ces connards, je ne sais pas s'il t'a mis au courant.

Oui, il m'a dit qu'il allait régler le problème.

Oui, tu parles. C'est des ados, c'est des forcenés. Ils connaissent aucune règle. Qu'est-ce que tu veux régler avec des petites ordures qui savent à peine écrire leur nom, il n'y a rien à régler.

85

Ils firent quelques pas pour s'asseoir sur un banc.

Oui, poursuivit Serge, ils nous emmerdent, ils veulent pas lâcher le morceau. Ils ont fait le calcul, ils pensent qu'il y a encore des paquets dans la nature. Ça les rend hystériques.

Marc soupira. Il ne suivait pas toute l'affaire dans les détails. Son soupir témoignait d'un moment de lassitude générale, de la convergence des tourments qui s'abattaient sur lui depuis la mort de son frère — et cette histoire de deal foireux était loin d'occuper ses pensées les plus sombres.

L'humidité s'installait vite le soir venu. Une longue bande de nuages rose orangé avait enflammé le ciel tandis qu'ils poursuivaient leur âpre conciliabule, le corps penché en avant, les jambes tendues, croisées, les mains enfoncées dans les poches. Il faisait noir lorsqu'ils levèrent le camp.

À peine arrivés, lui laissant à peine le temps d'embrasser Charlotte qui donnait à manger à leur fille, Serge entraîna Marc dans son garage et referma la porte derrière lui. Ça sent bon la soupe, déclara Marc tandis que Serge attrapait une petite mallette dans un renfoncement de l'établi et manipulait son cadenas.

Écoute, je ne sais pas, fit Marc, je crois pas que ce soit nécessaire.

Bien sûr que si, s'emporta Serge, bien sûr que si. Tu étais d'accord, il y a cinq minutes. Je plaisante pas, Marc, on sait jamais, c'est une sécurité. Sois pas con, je suis sérieux. Et tu n'es pas tout seul. Pense aussi à Diana.

Pense à sa protection, mon vieux. Enfin quoi, tu étais d'accord il y a une seconde, j'ai pas rêvé.

Il semblait tellement y tenir que Marc finit par céder. Le pistolet était dans son étui — un cuir naturel, patiné. Il y avait également une grosse boîte de munitions, des brosses, un chiffon doux, des cotons-tiges et un flacon d'huile Armistol. Serge avait l'œil brillant. C'est comme d'emporter de l'aspirine en voyage, déclara-t-il en lui tendant l'arme, c'est juste au cas où.

Un ange passa.

Walther PPK, reprit-il, j'aime bien.

Il s'éloigna de quelques pas pour prendre un appel tandis que Marc vérifiait rapidement le bon fonctionnement de l'arme.

Serge rempocha son téléphone et revint vers lui avec un sourire admiratif.

Hé, fit-il, on dirait que tu t'y connais.

Non, pas plus que ça. Le minimum.

Bon écoute, je suis désolé mais je dois filer. Mon père m'appelle. Une réunion de dernière minute à la mairie. Mais on va s'occuper de cette bande, on est en train. Bon, j'y vais. On se reparle vite.

Et sur ce il s'envola avant que Marc ait pu faire un geste, avec un grand signe de la main. Marc resta songeur un instant puis il remballa le Walther, le rangea dans sa mallette et il éteignit en sortant.

Il n'y avait pas de lumière dans la cuisine, dehors il faisait nuit. La télé était allumée dans le salon, mais on n'entendait rien. Charlotte fumait de l'herbe dans une pipe. Chez elle, le plus souvent, elle enlevait sa prothèse et faisait un nœud à la manche de son pull, elle déposait la main dans le tiroir d'un bureau dont elle gardait la clé.

Elle lui tendit la pipe mais il déclina, il préférait boire quelque chose, si ça ne la dérangeait pas. Oh, moi, plus rien ne me dérange vraiment, déclara-t-elle.

Il se servit un verre. On s'inquiète sérieusement pour Brigitte. Ça commence à faire.

Oui, je trouve aussi, dit-elle.

Il baissa les yeux sur l'écran, une famille d'éléphants en pleine savane, à la tombée du jour, quelque part à l'autre bout de l'Afrique.

Elle replia ses jambes pour libérer une place sur le canapé en faisant une remarque sur les nuits qui devenaient de plus en plus longues, et comme tu vois Serge a souvent quelque chose à faire dehors, déclara-t-elle, alors les nuits deviennent encore plus longues. J'apprécie d'avoir quelqu'un à qui parler, assieds-toi, voilà, merci, dis-moi, est-ce que ça te gêne si j'allonge mes jambes sur toi, très bien, ça me va bien, merci pour ce moment de détente.

Merci pour le verre, répondit-il en se protégeant discrètement les parties d'une main au cas où par mégarde elle lui flanquerait un coup de talon.

Elle tira quelques longues bouffées sur sa pipe tandis qu'il avalait son whisky consciencieusement, avec méthode, satisfait de s'être bien servi.

Elle avait les ongles des pieds d'un rose vif. Elle n'avait pas les mollets poilus — il ne voyait pas ses cuisses car elle portait un bas de survêtement taillé au ras des genoux, enfin quoi qu'il en soit, jamais, au grand jamais il n'aurait demandé à une femme de se raser la chatte, sous les bras, jamais, mais les jambes poilues, il était contre, depuis toujours, c'était presque insupportable, surtout chez les brunes.

Charlotte avait de grands yeux et un physique avenant.

Elle posa sa pipe et s'étira.

Oh, tu sais, déclara-t-elle, il faut que je te dise quelque chose. Peut-être que tu vas t'en ficher, remarque. Je ne sais pas, on ne se connaît pas très bien, finalement.

Je vais pas m'en ficher, ne crois pas ça.

Parce que, tu vois, je ne peux pas garder ça pour moi. Mais à qui je peux en parler.

À présent on voyait ces singes à la face rouge, serrés l'un contre l'autre, frissonnant sous la neige à côté de sources d'eau chaude.

Je crois que Serge a une histoire avec Diana, fit-elle en se redressant. J'en suis persuadée. Ça ne te touche pas directement, je sais, mais quand même, c'est ta belle-sœur.

Il termina son verre, se félicita in petto d'avoir accueilli la nouvelle avec l'indifférence nécessaire.

Sa vie privée ne me concerne pas, tu sais. Nous ne parlons jamais de ça, elle et moi. Je me mets à ta place, Charlotte. Je suis désolé. Ça doit être dur, non.

Oui, enfin non. Ne sois pas désolé. Elle n'est pas la première. Tout ça n'est pas très original. Nous ne sommes pas de grands sentimentaux, Serge et moi. Je me dis que c'est une bénédiction, parfois.

Il se resservit un verre avec un pâle sourire aux lèvres.

D'ailleurs, poursuivit-elle d'un ton égal, je ne lui fais plus d'effet, sexuellement parlant. On ne fait pas boire un âne qui n'a pas soif, n'est-ce pas.

Elle pouffa de rire. Marc dodelina de la tête en souriant.

Je dis n'importe quoi, non, fit-elle en mettant sa main devant sa bouche.

C'est ton herbe, déclara Marc. C'est cette putain d'herbe, elle est excellente. Mais si j'en fume maintenant, je pourrai plus me lever et Serge va se demander ce que je fiche encore là quand il va rentrer.

Oh, si ce n'est que ça, il n'est pas près de revenir, répondit-elle en rechargeant sa pipe. Après sa réunion, il ira faire un tour en ville. Son père l'a toujours entretenu dans l'idée qu'il ne fallait pas perdre le contact avec les gens, qu'il fallait cultiver la proximité avec le citoyen, alors il ira faire quelques boîtes, quelques bars avant d'envisager son retour. Il coupera le moteur et se laissera glisser dans le garage sans faire de bruit. Je l'entendrai malgré tout. La nuit sera presque terminée. C'est cette ville qui le fait vraiment bander. Il aimerait bien prendre la place de son père.

Elle alluma sa pipe en tétant par petits coups et la fumée monta de nouveau vers le plafond et s'étala, réactivant l'ancienne nappe qui parvenait juste à se dissoudre.

Je ne te demande pas ce qu'il y a dans cette mallette, dit-elle, je sais ce qu'elle contient. Et ça ne me plaît pas du tout.

Ça me plaît pas beaucoup non plus, répondit-il en faisant rouler son verre entre ses mains, mais ça va. Ça va.

C'est le signe que les hostilités vont commencer, poursuivit-elle. Je connais. Ça ne l'empêche pas de me laisser seule. Je sais que ça l'excite, cette tension, ce besoin de violence. Il se croit sur un ring. Diana devrait essayer de le calmer. Mais je ne sais pas comment lui en parler. C'est délicat, tu vois.

Ooohh, fit-il, ne me demande pas ça, non, c'est hors de question. Je ne suis même pas censé savoir qu'ils couchent ensemble, d'ailleurs on n'en sait rien, mais peu importe. Je ne peux pas avoir ce genre de conversation avec elle.

Sans le quitter des yeux, elle souffla un long jet de fumée au-dessus de lui.

Je peux te poser une question, demanda-t-elle.

Bien sûr, je t'écoute.

Il paraît que tu n'as personne, pas de petite amie.

Il se raidit légèrement, se pencha pour remplir son verre.

Non, pas pour le moment, déclara-t-il.

Je ne dis pas ça pour me jeter à ton cou, entendons-nous bien.

Ça ne m'a pas effleuré.

C'est juste par curiosité. Ça doit être reposant, en fait. Je t'envie.

Une nouvelle fois, il secoua la tête en souriant quand elle lui proposa de fumer son herbe. Il regarda sa montre.

Charlotte, dit-il, je ne peux pas te dire à quel point j'ai apprécié le moment que nous avons passé ensemble, c'était vraiment bien, très agréable. Je vais y aller, maintenant.

Le vent s'est levé, on dirait, déclara-t-elle.

Effectivement. Quelques bourrasques. Un feulement lointain. Il se leva et contourna le canapé pour se planter devant la fenêtre. Le ciel était dégagé mais les bois en contrebas, de l'autre côté de la piscine, s'agitaient comme si des forces invisibles les saccageaient.

On va avoir un gros coefficient, dit-il. Ça va déferler, demain.

Ah bon.

Il sentit son souffle dans son cou, à tout le moins le devina. Il ne l'avait pas entendue venir, il la croyait encore sur le canapé, complètement barrée, et voilà qu'elle surgissait à côté de lui.

Elle semblait avoir du mal à garder les yeux ouverts, de même qu'à tenir sur ses jambes — ce qui représentait déjà un exploit à l'aune de ce qu'elle s'était envoyé.

On ne se connaît pas assez. Il faudrait que tu reviennes, dit-elle en prenant appui sur un fauteuil. On ferait rien de mal. C'est important d'avoir des gens à qui parler.

Oui, il faut faire un effort. Si on ne fait pas un effort, c'est fichu.

Il attrapa son anorak accroché dans l'entrée et comme il enfilait les manches sans quitter Charlotte des yeux, il s'inquiéta en la voyant s'avachir légèrement, se tenant le front de sa main.

Il lui demanda comment ça allait et elle lui fit signe que c'était okay tout en fléchissant davantage les jambes jusqu'à se retrouver par terre.

Il se précipita vers elle et la soutint pendant qu'elle reprenait ses esprits.

Je suis complètement raide, déclara-t-elle.

Non, mais cette herbe, attention, je te l'ai dit. Mais si tu pouvais m'en vendre un peu, ma foi.

Il l'aida, ce disant, à se remettre sur ses jambes. Il lui proposa de s'asseoir mais elle esquissa un geste vers la porte car elle souhaitait prendre l'air.

Ils firent quelques pas dehors. Le vent était frais, avec des odeurs de terre, de végétation à demi morte. Elle ferma les yeux et prit de longues inspirations tandis qu'il jetait un coup d'œil autour d'eux afin d'épargner les derniers hortensias tout proches au cas où elle se mettrait à vomir. Le quartier était sans vie, silencieux, endormi. Des quelques maisons, ici et là, ne provenait aucune lumière, les voitures étaient garées, la voie était déserte, scintillante d'humidité. Il ne savait pas quoi dire, il sentait les ongles de Charlotte plantés dans son avant-bras.

Elle ne vomit pas, cependant, et se rétablit vite — du moins retrouva-t-elle, avec un pâle sourire, suffisamment de forces pour le rassurer et retourner à l'intérieur d'une démarche plus volontaire.

Il resta dans l'entrée. Charlotte, si tout va bien, je vais y aller, annonça-t-il cependant qu'ayant traversé le salon elle se penchait sur le tiroir du bureau. Je suis mort de fatigue, ajouta-t-il. Mais tu es sûre que ça va, non.

Elle se tourna vers lui et agita un sachet rempli d'herbe.

Ah, c'est parfait, déclara-t-il en se dirigeant vers elle.

Il voulut la payer mais elle refusa son argent. Ses joues avaient repris un peu de couleurs. C'est gratuit pour les amis, dit-elle. Rentre bien.

Franchement, il ne regrettait pas d'avoir passé ce moment avec Charlotte. La circulation était inexistante et il tenait le volant du bout des doigts, son esprit vaguement embrumé vagabondait.

Puis il poussa un juron, son visage s'assombrit et il freina brutalement sur le bas-côté.

Le Walther. Cette saloperie de Walther lui était complètement sortie de l'esprit. De rage, il serra le volant entre ses mains. Après quoi il redémarra et attendit le prochain embranchement pour faire demi-tour.

Il y avait encore de la lumière dans le salon. Il sonna deux ou trois fois à l'interphone mais personne ne lui répondit. Une légère inquiétude s'empara de lui. Il hésita une seconde puis escalada le portail et reprit pied de l'autre côté.

Il s'avança vers les fenêtres qu'un éclairage soyeux découpait dans l'obscurité et Charlotte était là, les yeux clos, étendue sur le canapé, un casque sur les oreilles. Il cogna au carreau mais n'obtint aucune réaction de sa part.

Une effroyable sirène d'alarme retentit alors, d'une stridence insupportable. Il se boucha les oreilles tandis que Charlotte faisait un bond qui lui arrachait ses écouteurs. Il tambourina de nouveau à son carreau, mais de façon frénétique cette fois. C'était insupportable. Tout le quartier devait se dresser dans son lit — certains, peut-être, devaient déjà chercher leurs armes. Il hurla son nom. Elle le vit. Ses yeux se révulsaient presque.

Ouvre, bordel de Dieu, cria-t-il.

Elle ouvrit. Elle grimaçait. Il sauta par la fenêtre.

Charlotte, arrête cette saloperie d'alarme.

Elle paniquait, elle ne savait plus. Quel code. Quoi. Quel numéro. Elle butait dans les meubles.

Charlotte, prends ton téléphone, putain, appelle-les, on va devenir fous, sinon.

Au lieu de quoi elle tituba vers l'entrée avec ces lames de scie qui sifflaient dans l'air. Il aurait tué les types qui avaient inventé ça. Pendant ce temps, elle avait ouvert la porte d'un placard dans l'entrée et tapoté l'écran d'un système accroché au mur. Et la paix, le silence redescendirent aussitôt sur terre.

C'est la date de mon anniversaire, dit-elle, ça m'est revenu.

Il se laissa choir sur un pouf. Dieu du Ciel, gémit-il avant de lui expliquer pourquoi il était de retour.

Je suis désolé d'avoir provoqué tout ce bordel, déclara-t-il. Les voisins n'ont pas dû apprécier.

De fait, on voyait déjà quelques fenêtres allumées, des chiens aboyaient, les alentours pesaient.

Je n'en reviens pas que ma fille se soit pas réveillée, fit Charlotte. Tu sais, on peut donner des fêtes bruyantes, ici, avec cinquante personnes, et elle n'entend rien. Mais par contre, eh bien, si je fais craquer mes doigts à côté d'elle, eh bien, elle ouvre immédiatement les yeux.

Remarque, j'aurais pu y penser. À l'alarme, j'aurais pu y penser.

Elle lui fit signe qu'elle interrompait leur conversation car elle devait prendre un appel. Oui, Serge, répondit-elle, je sais, j'ai reçu la même à l'instant. Oui, je ne sais pas, une alerte intrusion, oui, l'alarme s'est déclenchée, il y a du vent, oui des branches, c'est possible, un animal, oui c'est ça, oui bon, quoi qu'il en soit, hein, tout est normal, oui j'ai vérifié.

Elle rempocha son téléphone en soupirant. Il est tellement parano, dit-elle en refermant la fenêtre que Marc avait franchie d'un bond et elle proposa un verre après toutes ces émotions. Il ne s'y opposa pas car le branle-bas qu'ils venaient de traverser avait totalement dissipé les effets de l'alcool ingurgité plus tôt. Il empoigna néanmoins la mallette et la garda sur ses genoux en s'asseyant devant Charlotte.

Elle déclara que l'incident lui avait donné chaud et lui demanda de servir les verres pendant qu'elle se débarrassait de son pull. Elle portait un tee-shirt rose à manches courtes.

Ça ne te dérange pas, au moins, s'enquit-elle en guettant sa réaction devant le moignon de son bras qu'elle exposait subitement à sa vue.

Il ne grimaça pas, ne tourna pas la tête, il ne dit rien. En fait, c'était une épreuve qu'elle imposait au petit cercle de ses vrais amis et elle avait le sentiment qu'elle pouvait brusquer un peu les choses avec Marc, c'était un bel homme, parfaitement insaisissable, et elle avait éprouvé ça vaguement, les rares fois où ils s'étaient rencontrés, ce début d'attirance, et voilà qu'il passait l'épreuve du moignon sans le moindre problème, qu'il considérait son amputation avec intérêt mais sans plus, de sorte qu'alors elle estima avec plaisir qu'elle ne s'était pas trompée.

Il leva son verre et elle l'imita. Elle aussi, de son côté,

semblait sortir des limbes où l'avait plongée son herbe. Il tourna un instant les yeux vers l'écran où une femme posait devant une girafe noire qu'elle venait d'abattre.

Je peux t'offrir un esquimau, dit-elle.

Il prétexta des parties de poker pour ne pas trop s'attarder mais il accepta de bonne grâce car il n'avait rien mangé depuis le matin.

S'il était parti cinq minutes plus tôt, il aurait évité le retour de Serge qui n'eut guère le temps de s'étonner de sa présence car il fila aussitôt en grognant vers le robinet de la cuisine et se plongea la tête sous l'eau.

Cette fois, le Walther était bien là, dans sa mallette glissée sous le siège avant du passager, et cette fois Marc ne flânait plus car il était tard, la conversation s'était poursuivie avec les deux autres après que Serge s'était abondamment rincé les yeux en jurant d'avoir la peau du petit salaud qui l'avait aspergé de gaz lacrymo en pleine figure.

Diana était couchée. Il avait aussitôt remarqué que la porte de sa chambre était entrouverte et il était entré. Il s'était assis au pied de son lit. Calée dans ses oreillers, elle lisait *Martin Eden* qu'elle reposa sur ses genoux. Il lui raconta d'où il venait, ce qu'il avait fait de sa journée, puis il revint sur la séquence la plus fraîche et il reprit l'histoire au moment où Serge l'entraînait dans son garage et lui mettait le Walther dans les mains.

Elle éclata de rire à la fin, avec le déclenchement de l'alarme. Tu as pris des notes, j'espère, lui dit-elle. Sans répondre, il continua avec l'arrivée de Serge que les petits cinglés avaient gazé.

Ça, c'est moins drôle, dit-elle, ça signifie qu'une étape est franchie.

Pas l'ombre d'une ombre n'avait effleuré son visage — et Dieu sait qu'il l'avait observée à la loupe — tandis qu'il avait évoqué les misères infligées à son amant — parce que c'était bien ainsi qu'il fallait dire les choses, désormais, il ne voulait pas savoir et maintenant il savait. Néanmoins, elle n'avait pas réagi sinon à propos de la menace qui se précisait.

Ce n'est pas de te savoir armé qui me rassure, déclarat-elle.

Il haussa vaguement les épaules. C'est comme d'emporter de l'aspirine en voyage, se défendit-il. C'est juste au cas où.

Il se demanda si chaque fois qu'il la regarderait à présent, il la verrait en train de le faire avec Serge. Il baissa les yeux. Il devenait urgent, songea-t-il, de lui proposer un tour en ville un de ces soirs, de sortir avec elle afin qu'il puisse cogner quelques types et lui-même récolter quelques coups, toujours bons à prendre en l'occurrence.

Elle se pencha pour saisir la théière et il ne la quitta pas des yeux tandis qu'elle remplissait deux tasses d'une boisson fumante d'où s'échappait un doux parfum de sureau. À présent que Charlotte lui avait mis ces images en tête, il se sentait gêné d'être là, au pied de son lit, dans son intimité. Physiquement gêné. D'autant qu'il la sentait, malgré le sureau, il sentait son odeur de femme, plus forte que d'habitude, plus pénétrante aussi.

Attends un peu, dit-elle, c'est chaud. Mais toi, tu en penses quoi.

C'est un marchand de piscines, pas un flic. Mais il les aide. Je pense que ça doit le chatouiller. Il lui arrive de faire des rondes avec les équipes de sécurité qui travaillent pour la ville. Sans qu'on ne lui demande rien. C'est le fils du maire. Charlotte m'a tout raconté.

J'aime vraiment bien Charlotte. Je vais m'occuper de ses dents de sagesse. En tout cas, je me suis fait violence et j'ai fini par appeler Joël pour avoir des nouvelles de Brigitte, mais bien sûr il n'en avait pas. Il était essoufflé. Il était en train de monter une penderie ou je ne sais quoi.

Oui, ça devient vraiment flippant cette disparition. On ne sait rien. Il s'est décidé à prévenir la police. Il est dans tous ses états, le pauvre.

Ne dis pas ça, se rembrunit-elle. Ne dis pas Joël, le pauvre. N'emploie plus jamais ces mots devant moi, s'il te plaît.

Ce n'était pas aujourd'hui qu'il allait en apprendre davantage, soulever le moindre petit coin du voile. Patrick lui-même n'y était pas parvenu. La raison de cette brouille définitive entre le frère et la sœur demeurait un insondable mystère. Ni Diana ni Joël ne voulaient en parler, laissant d'ailleurs entendre que ces sombres histoires entre les membres d'une même famille n'avaient pas d'intérêt, qu'elles remontaient trop loin, qu'ils s'y perdaient eux-mêmes. De ce point de vue, ils restaient muets comme des tombes tous les deux, à cet égard ils se donnaient la main.

Il attrapa sa tasse. En tout cas, Diana ne plaisantait pas et il lui répondit okay, okay en acquiesçant. Il se brûla les lèvres avec l'infusion, puis il enchaîna sur la nécessité de se montrer vigilants tant que le problème ne serait pas réglé avec leurs petits camarades.

Elle fit la moue. Je croyais que Joël s'en occupait, justement.

Il n'est plus en état de s'occuper de quoi que ce soit pour le moment. Il est resté enfermé dans son bureau toute la journée. Serge est censé prendre le relais, si j'ai bien compris. Il a les flics de son côté.

Elle détourna la tête. Pour l'heure, l'attention qu'elle entendait accorder à ce sujet semblait épuisée.

Parlons de choses plus gaies, dit-elle. Parce que Claudie, cette fille que tu as vue ce matin, c'est exactement ce que je cherchais. J'en connais qui ont mis des mois avant de trouver. Eh bien, je touche du bois, mais je pense que c'est bon. Et heureusement parce que les rendez-vous s'enchaînent. Et elle a vraiment assuré. J'ai failli l'embrasser à la fin de la journée.

Ils trinquèrent à la bonne fortune de Diana avec leurs infusions. Il regrettait de ne pas savoir dessiner, de ne pas être un peintre quand il la regardait. Ses doigts le démangeaient de saisir un pinceau.

Marc, dit-elle, ta tasse vient de te glisser des mains. Ne me regarde pas comme ça, il faut peut-être faire quelque chose.

Il baissa les yeux sur son pantalon en grimaçant car il s'était copieusement arrosé. Il se leva d'un bond pour secouer la couette qui par bonheur n'avait reçu que quelques gouttes.

Tout va bien, c'est comme de l'eau, le rassura-t-elle. Tu étais où. Prends une serviette.

Il en trouva une rouge dans la salle de bains sur un radiateur chauffant. Elle était juste tiède. Il ferma les yeux et y enfouit son nez. Ce n'était pas la première fois qu'il faisait ça, la chance lui fournissait quelques occasions, quand elle avait le dos tourné ou qu'elle était absente, et c'était toujours une expérience inoubliable, de type poppers, un bonheur inégalé car il parvenait sans coup férir à détecter son odeur, aussi cachée, aussi insaisissable fût-elle. Et c'était sans parler de ses sous-vêtements qui lui garantissaient un décollage immédiat — et le plongeaient ensuite dans les affres d'une honte inextinguible, insuffisante cependant pour l'empêcher de s'y remettre le plus rapidement possible. Chacun portait son fardeau, ici-bas. D'autant que la dernière raclée que lui avait administrée Patrick, six mois avant de tomber sous les balles d'un forcené, était directement liée à ces histoires.

Patrick l'avait surpris en train de fouiller dans le bac à linge et il avait encore une culotte de Diana dans la main quand il avait reçu le poing de Patrick en pleine figure pour commencer, puis son frère l'avait roué de coups et abandonné la tête la première dans le bac en question, tournant les talons sans prononcer un seul mot. Ils n'en avaient jamais reparlé ensuite.

101

Il s'était dès lors tenu à carreau durant des semaines, puis il avait de nouveau cédé à son addiction, mais cette fois en s'armant de mille précautions et à un rythme moins effréné, ne frappant qu'à coup sûr, en catimini.

Aujourd'hui que Patrick n'était plus là, il n'avait plus grand-chose à redouter de ces pratiques et, d'une certaine manière, il le regrettait, le risque de la sanction lui faisait défaut. En rendant les choses plus faciles, l'impunité dont il jouissait désormais les banalisait. Il ne tremblait plus, n'anticipait plus la juste correction à quoi il s'exposait. Ça n'ôtait certes rien à l'agrément des turpitudes auxquelles il se livrait, mais la culpabilité lui manquait.

Il épongea tant bien que mal son pantalon et retourna près d'elle.

J'ai eu comme une absence, déclara-t-il. Ça craint.

Comme il vérifiait que la place qu'il avait quittée était bien sèche, elle lui proposa de venir s'asseoir à ses côtés. Planté au pied du lit il se raidit, s'assombrit, baissa la tête. Elle le considéra un instant, mi-interloquée, mi-amusée.

Marc, tu veux bien, arrête, finit-elle par lâcher.

Il secoua la tête de droite à gauche, incapable de la regarder.

Tu ne m'aides pas à m'en sortir, soupira-t-elle. Est-ce qu'au moins tu t'en rends compte.

Il tâcha d'articuler quelques mots pour lui répondre, tendit la main vers le côté du lit qu'occupait son frère lorsqu'il était encore de ce monde, mais si ses lèvres frémirent un instant sous l'effort, aucun son ne sortit de sa bouche. Les dernières paroles que Diana venait de prononcer l'avaient achevé. Exactement ce qu'il ne voulait pas entendre.

Il secoua de nouveau la tête, lui adressa un sourire piteux avant de faire machine arrière en direction de la porte.

Je ne te demande pas de prendre sa place, tu ne fais pas le poids, lui lança-t-elle cependant qu'il franchissait le seuil.

Le coup était rude, mais elle avait raison. Non seulement il n'en avait jamais douté mais il n'avait pas la prétention de lui ravir son titre. Il se servit un verre, remit une bûche dans la cheminée, baissa la lumière et s'installa sur le canapé avec son ordinateur. L'état d'esprit dans lequel il se trouvait n'était pas idéal pour le poker, mais il avait traversé quelques mauvaises passes et le niveau de ses finances avait dangereusement baissé, si bien qu'il ne pouvait pas reculer et s'apprêtait à jouer sur plusieurs tables à trois en simultané malgré ce coup de poignard qui lui avait transpercé le cœur.

Il se connecta sur Winamax et l'envie le traversa de fumer un peu d'herbe — ce qui lui réussissait plutôt bien à la différence de presque tous les joueurs sérieux qui fuyaient ça comme la peste, qui ne juraient que par la clarté d'esprit et le contrôle absolu —, mais Diana ne lui laissa pas le temps d'en décider car elle se matérialisa en peignoir à côté de lui, sur le canapé, tandis que la bûche s'enflammait et faisait danser des ombres dans la pièce.

Tu es fâché, demanda-t-elle.

Non, je vais jouer un moment et je n'y penserai plus.

Ce que je veux dire, c'est que rien ne peut le remplacer

pour moi, je suis morte avec lui, ce n'est pas un mystère. Mais voilà, il se trouve que je me suis loupée trois fois et il se trouve que je suis toujours vivante. Et plus toute jeune.

Tout s'est désorganisé après lui, marmonna-t-il, tout est parti en vrille. Rien de tout ça n'aurait dû arriver.

Elle ferma les yeux durant quelques secondes puis les rouvrit. Oui, nous sommes bien d'accord. Il n'est plus là. Ne restent que les décombres. Nous voilà bien avancés.

Elle posa la main sur l'avant-bras de Marc avant qu'il ne touche le clavier.

Tu as conscience, reprit-elle, du poids qu'il fait peser sur nous. Nous souffrons de son absence et nous souffrons de sa présence, de son omniprésence, nous ne vivons pas à deux dans cette maison, nous vivons à trois, et toi et moi vivons dans une prison mentale qui finira par avoir raison de nous.

Oui, je sais. Mais on n'y changera rien. Tu viens de voir comment ça se passe et ça ne te suffit pas.

Il n'y avait pas d'arrière-pensée de ma part. Tu l'as mal interprété, c'est tout. Depuis le temps, si nous devions coucher ensemble, ce serait déjà fait. Et certainement pas dans ce lit que nous avions choisi ensemble, lui et moi.

Il prit une profonde inspiration

Très bien. Alors au temps pour moi. Oublions ça.

Il se tourna vers l'écran qui affichait la page d'accueil de Winamax et la fixa sans savoir comment aller plus loin, lisant et relisant la première phrase qui apparaissait sur le bandeau. Famille, vie sociale, santé financière, êtes-vous prêt à tout miser. Famille, vie sociale, santé financière, êtes-vous prêt à tout miser. Famille, vie sociale, santé financière.

Quand il reprit ses esprits, elle était serrée contre lui, la tête appuyée contre son épaule.

C'était tout ce que je voulais, murmura-t-elle. Rien de plus que ça.

Du coup, il n'osait plus bouger, alors qu'il avait très envie d'attraper son verre.

Je ne te gêne pas pour jouer, demanda-t-elle.

Elle voulait rire, il n'aurait même pas été capable de faire une partie de sept familles avec un enfant.

Non, pas du tout, répondit-il.

Tu sais, quand j'ai dit que tu ne faisais pas le poids, eh bien, je ne le pensais pas.

Il haussa les épaules. On dit souvent des choses qu'on ne pense pas. La plupart du temps, d'ailleurs.

Ta réaction m'avait mise hors de moi.

Je comprends.

On aurait dit que tu avais vu un fantôme.

C'était sa place, il dormait de ce côté-là. J'y peux rien. Il me manque.

Il t'aimait vraiment, mais il était dur avec toi.

C'était rien, c'était pas grand-chose.

Ce n'était pas rien, Marc.

C'était rien, je le méritais, je faisais que des conneries.

Il se décolla d'elle pour attraper son verre. Il prenait le risque de rompre le charme de ce tendre épisode qui lui mettait le feu aux joues, mais sa soif était trop grande.

Elle retrouva néanmoins sa position dès qu'il se radossa, lui saisissant même le bras pour le passer derrière son cou en se blottissant contre lui — du vrai nanan.

L'idée n'est pas que tu le remplaces.

Oui, j'avais compris.

Je n'en suis pas sûre.

Il ne releva pas cette dernière déclaration mais elle lui donna à réfléchir. Il resta ainsi, immobile et muet, pendant un bon moment. Presque une heure. Sans savoir si elle s'était endormie ou si les flots les avaient engloutis. Sans savoir s'il pourrait lui rendre sa liberté le moment venu. Son bras était ankylosé mais il pouvait bien pourrir sur place, son sang ne plus circuler dans ses veines.

La bûche s'était consumée, la pénombre avait envahi les lieux. Ce n'était pas cette fois qu'il abonderait son compte en raflant quelques mises. L'écran était noir, silencieux. Ce n'était pas non plus cette fois qu'il comprendrait quelque chose aux femmes — bien que Diana fût la seule au centre de ses préoccupations.

Perplexe, avec force ménagements, il finit par dégager son bras, s'écarta d'elle, l'allongea sur le canapé, la couvrit, l'observa, se pencha pour mieux l'observer encore, posa les lèvres sur son front puis il monta se coucher. D'un pas lourd, le cœur inquiet.

L'état de son nez s'améliorait. Joël ne portait plus qu'un petit pansement couleur chair laissant supposer qu'il ne cachait qu'une simple égratignure ou un méchant bouton, de même qu'un nuage de poudre avait raison des variations jaunâtres, violacées, olivâtres, essaimant son visage. Mais il avait maigri, ne se rasait plus, passait des heures enfermé dans son bureau tandis que Marc s'occupait des clients, des fournisseurs, supervisait les travaux de l'atelier et ne savait parfois plus où donner de la tête.

Lorsque Marc levait les yeux sur la baie vitrée du bureau et qu'il le voyait nourrir des mouettes à coups de corn flakes, il pressentait qu'un malheur n'allait pas tarder à se produire.

Un soir, après la fermeture, il fit quelques pas avec Joël sur les appontements grinçants. Il faisait un froid sec, le soleil se couchait.

Alors, comment ça s'est passé, raconte-moi.

Joël balança une poignée de pop-corn au-dessus de sa tête et les mouettes arrivèrent en bandes affamées.

Bien, répondit-il. Je dirais bien. Enfin, je crois. C'est toujours difficile à dire. Ils m'ont demandé si je voulais m'asseoir.

Ils t'ont pas trouvé bizarre, au moins.

Non, non. J'ai pas eu l'impression.

Parce que franchement tu as une sale gueule. Qu'est-ce qu'il y a. Quelque chose ne va pas.

Joël lui adressa un regard oblique.

Il fallait y penser avant, reprit Marc sur un ton aigre. En attendant, ce serait une bonne chose que tu te reprennes un minimum, à moins que tu veuilles finir au bout d'une corde. C'est une image, mais c'est pour que tu comprennes. Les flics vont nous tourner autour, obligatoirement. Tu pourrais te raser, te coiffer un peu. Tu as maigri. Tu as l'air coupable. Regarde-toi.

Ils marchèrent jusqu'à l'extrémité du ponton qui clapotait sous l'effet de la marée montante.

Tu sais, déclara Joël après qu'ils s'étaient arrêtés en bout de course et avaient gardé le silence durant une minute face à l'océan qui miroitait, tu sais, Marc, mon vieux, on aurait dû l'enterrer. Je regrette tellement qu'on ait fait ça, qu'elle repose pas dans un cimetière. J'en suis malade.

Marc continua de regarder l'océan, les derniers rayons du soleil qui disparaissait à l'horizon, les nuages roses, fins comme des sucettes, suspendus dans le ciel d'un bleu laiteux.

C'est à ça que tu passes tes journées, demanda-t-il. À ruminer ces vieilles lunes. Et moi, là-dedans. Tu t'en fous. Continue comme ça et tu vas devenir dingue, tu vas être bon à enfermer. Ah mais je le crois pas. C'est tout ce qui manquait.

Tu es jeune, marmonna Joël, je peux pas t'expliquer. C'est pas à toi que ça arrive. Je me réveille en pleine nuit parfois et elle est là, debout au pied de mon lit, et elle ne dit rien, elle reste là, immobile, à me regarder. Et elle est pas contente de ce qu'on a fait. Ça se voit. Elle nous maudit, Marc, elle nous promet l'Enfer. Elle aurait voulu une vraie sépulture.

Une vraie sépulture. Ben voyons, grinça-t-il. Eh bien, si

elle nous entend, on peut lui dire qu'on est vraiment désolés, sincèrement désolés, mais qu'on n'y peut plus grand-chose. Elle le comprendra. Mais s'il te plaît. Pour le moment. S'il te plaît. Ne pense plus au cimetière, à tout ça. Reviens sur terre. Ne nous fais pas exploser cette histoire à la figure. Ce qui est fait est fait. Qu'on soit désolés ou pas.

Joël ne semblait pas convaincu. Il ricana. Il lança une poignée de céréales à ses nouvelles copines. Marc l'observa du coin de l'œil et en conclut qu'on ne pouvait décidément plus affirmer que Joël ne ferait pas tout foirer.

Il faisait plus ou moins nuit, à présent, les lumières du quai scintillaient sur les bassins comme des champs de coton sous la lune, le ciel s'étoilait alentour et Marc retira les mains de ses poches et entraîna Joël sans discuter chez l'Italien pour qu'il reprenne des forces. Et du vin, aussi, pour la couleur de ses joues. Mais du vin illico presto, cependant qu'on s'activait en cuisine pour lui servir l'escalope de veau milanaise et le gratin de pâtes au jambon de Parme que Marc avait d'autorité commandés pour lui.

Marc donna le départ en avalant la première gorgée. Qu'il faillit recracher quand Joël lui annonça qu'il avait conduit les policiers à l'appartement.

Tu ne pouvais pas commencer par là, s'étrangla-t-il.

Mais je ne vais pas y retourner. Non, je vais rester encore quelque temps dans mon bureau. Je leur ai dit merci les gars, deux jeunots, merci les gars, mais si je dois me trouver mal dès que je mets les pieds ici, vous voyez ce que je veux dire.

Marc en avait le souffle coupé mais il demanda s'il avait bien compris.

Tu veux dire que tu t'es évanoui dans l'appartement, devant les flics. Tu veux rire ou quoi. Tu te moques de moi.

Évanoui, tempéra Joël, c'est un peu exagéré. Mais oui, j'en étais pas loin. Une sacrée crise d'angoisse, comme jamais j'aurais cru. De me retrouver là, au milieu de ses affaires, avec les deux débiles qui fouillaient ses tiroirs, je me suis senti partir. Je te souhaite pas de connaître ça.

Marc se resservit un verre sans quitter Joël des yeux, réfléchissant à ce qu'il venait d'entendre. Sa sidération commençait à s'atténuer, néanmoins.

Et ils ont pensé quoi de ton numéro.

Ils ont été impressionnés, j'imagine. Ils ont bien dû voir que je ne jouais pas la comédie, que j'étais rongé par l'inquiétude.

On lui apporta son plat. Marc lui indiqua qu'il était servi et qu'il devait attaquer son escalope sans plus attendre tandis que lui-même croquait un grissini nature en étant plus rassuré.

Joël chipota sa viande mais Marc l'avait à l'œil et surveillait chaque bouchée, absolument sourd au manque d'appétit qu'alléguait sans succès son imprévisible et maussade compagnon.

Lorsque le gratin s'ensuivit et voyant que Joël grimaçait de plus belle, Marc se pencha vers lui et le fixa droit dans les yeux. Écoute, déclara-t-il, écoute-moi, je veille sur la santé de ta sœur depuis un bon moment déjà, je te passe les détails et ils sont nombreux, je te le dis, je n'arrête pas, alors j'aimerais autant ne pas m'occuper de la tienne, de santé. Je ne vais pas y arriver, sinon. Je fais au mieux mais je ne peux pas tout régler si tu ne m'aides pas. Tu connais la situation. Réfléchis aux réactions en chaîne, aux multiples implications. À mon attachement pour toi si ça signifie toujours quelque chose à tes yeux.

En réponse, Joël lui saisit la main par-dessus la table et la garda dans la sienne, mais en regardant ailleurs d'un air vague. Mais quelle foutue connerie on a faite, murmura-t-il entre ses dents, quel foutu sacrilège.

En rentrant, après qu'il eut raccompagné Joël dans sa tanière, cette dernière phrase tourna en boucle dans son esprit pendant qu'il conduisait sur la route qui longeait l'océan. Il ne s'y associait pas du tout, bien entendu, mais le ton d'absolue conviction que Joël avait employé, la voix profonde, tremblante et sourde, méconnaissable, qu'il avait utilisée pour délivrer son message, cette voix, ce mystère qu'elle véhiculait, lui revenait comme un mantra. Il se gara sur le bas-côté envahi de sable, à l'orée des joncs qui bordaient la route, pour prendre quelques notes à la lumière du plafonnier. Il trouva un peu de whisky dans la boîte à gants. Il laissa tourner le moteur pour le chauffage. Ce n'était pas très écologique, bien sûr, mais d'un autre côté il triait ses poubelles et buvait l'eau du robinet filtrée au charbon de bois. Derrière les dunes, des mouettes frissonnaient sur la plage. Il pensa à Brigitte, à cette absurde histoire de tombe.

Il était sur le point d'arriver lorsque son téléphone sonna. C'était Serge, qui le pressait de le rejoindre. Il n'était pas tard et Diana était de sortie, ce soir-là, si bien qu'il fit demi-tour sans se forcer, plutôt satisfait de tourner la page après la pénible séquence que Joël lui avait infligée. Et Dieu sait que Joël comptait pour lui, qu'ils entretenaient une relation, certes éloignée de la relation fils-père mais assez voisine tout de même, en tout cas c'était davantage que de l'amitié, du moins de son point de vue, mais là il devenait pesant, il vieillissait. Il était temps qu'il réagisse.

Il se gara devant l'hôtel de police, Serge l'attendait à l'entrée.

Tu m'expliqueras, fit Marc.

Oui, oui. Suis-moi. Je t'ai réservé une place d'honneur. L'ambiance était bizarre, car il y avait des flics partout. Des policiers municipaux, également. Des femmes avec des queues-de-cheval qui sortaient de leurs casquettes, des hommes qui tapaient à la machine. Serge le guida jusqu'à une pièce au sous-sol et là, comme dans un film, il se retrouva devant un miroir sans tain avec une demi-douzaine d'adolescents alignés face à lui, de l'autre côté. Serge avait un grand sourire.

Regarde-moi cette brochette de trous du cul, déclara-t-il. Et ça veut faire la loi. Dommage que Joël soit pas là.

Ils avaient les mains attachées dans le dos et posaient avec un air bravache, un sourire narquois.

Ils vont faire un séjour à l'ombre, ajouta Serge, ça va les calmer.

Quelques flics en uniforme qui assistaient à la scène, bras croisés, affichèrent leur bonne humeur à la suite de ces propos.

Le petit blondinet à gauche, indiqua Serge, c'est leur chef. En tout cas, si tu te sens d'aller distribuer quelques beignes, ne te gêne pas. J'ai eu Joël il y a un instant, il n'avait pas l'air d'être en meilleure forme mais néanmoins il n'était pas contre. Il a reparlé de son appartement dévasté, de la coke qu'ils ont embarquée, du stress qu'ils ont infligé à Brigitte, enfin bref. On peut te prêter une cagoule si tu veux.

Non, merci bien mais j'y tiens pas, répondit Marc.

Une ombre de perplexité glissa sur le sourire de Serge. Ma foi, dit-il, bon, c'est toi qui vois.

Marc voyait surtout, et bien qu'il lui sût plus ou moins gré d'avoir œuvré pour le réconfort de Diana, celui qui la baisait. Tout simplement. Et il ne pouvait nier que ça lui restait en travers de la gorge. Une chose était de l'accepter, une autre de l'approuver.

Sur le chemin du retour, son humeur était plus sombre qu'à l'aller.

Lorsque Diana rentra, il venait de perdre cinq cents euros sur une lamentable erreur d'appréciation, s'était fait avoir comme le dernier des débutants. Il referma son écran en jurant, en pestant contre son manque de concentration, puis il se servit un verre.

Je crois que notre camarade a fait du bon travail, annonça-t-il en la suivant dans la cuisine.

Il lui relata l'histoire en quelques mots, sans oublier la proposition de Serge d'en dérouiller certains pour leur apprendre à vivre.

Ça ne m'étonne pas, répliqua-t-elle d'une voix tranquille en gardant les yeux baissés sur son yaourt.

Moi non plus, remarque. Je ne le supporte qu'à faible dose. Je pense à Charlotte. Je ne sais pas comment elle fait pour accepter ce genre de type dans son lit. C'est quand même une question de moralité, non.

Ça devrait, oui, mais ce n'est pas toujours aussi simple. Et puis, chacun s'arrange avec la moralité, chacun voit midi à sa porte.

Il ne savait pas très bien d'où elle revenait, mais elle portait une robe moulante à manches longues qui lui allait particulièrement bien. Ses bas noirs à résille fermaient le ban.

Oh, d'un anniversaire. Une fille que tu ne connais pas. Assez barbant pour tout dire. Je t'en avais parlé.

Ah bon. Peut-être. J'ai vu ton frère, aussi. Pas terrible. Il finit par se demander si elle n'est pas morte. Il est choqué, quoi. Il imagine le pire. Bon, je ne le plains pas, je ne dis rien d'autre. C'est juste pour te tenir au courant. La police a visité l'appartement. Joël leur a ouvert. Ils ont peut-être trouvé des indices. Mais tu ne sais pas le plus beau.

Il se tourna vers la fenêtre et put constater que la pluie commençait à tomber, d'énormes gouttes un peu pataudes.

Eh bien quoi, continue.

Hum. Il s'est évanoui dans les bras des policiers. Le simple fait de remettre un pied dans l'appartement. L'émotion.

Quel comédien. Il me dégoûte. Quel pitre, aussi.

C'est plutôt dur, non.

Pour ce qu'il a fait, non, c'est pas trop dur.

Est-ce qu'on va le savoir un jour, ce qu'il a fait, tu crois.

Non, ce n'est pas utile. Ça n'apporterait rien. Mais sache que c'est une ordure, c'est tout. C'est un portrait suffisant.

J'ai du mal.

Tu ne le connais pas vraiment. Moi si.

Lorsqu'elle estimait qu'une discussion était close, Diana ne jouait pas les prolongations et elle s'éclipsait sur-le-champ. Il la suivit des yeux tandis qu'elle montait à sa chambre et il se resservit un verre. Il était loin de penser que Joël était un saint et les derniers évènements ne plaidaient pas en sa faveur, mais le qualifier d'ordure, elle y allait fort — et visiblement, comme leur brouille semblait remonter à leur adolescence, on pouvait en conclure qu'il n'y avait pas prescription de son côté.

Eu égard à la situation présente, il n'était guère judicieux, se disait-il, de rouvrir les lèvres d'une ancienne blessure que les deux parties s'ingéniaient à occulter. D'autres problèmes, autrement d'actualité et prioritaires, réclamaient une attention de chaque instant. Il fuma un joint. Installé devant le feu, mains croisées sur l'estomac, jambes allongées sur un pouf, il se perdit un moment dans la contemplation des flammes, s'interrogea sur le sens de cette vie et faillit s'endormir au moment même où Diana réapparut.

Il se redressa, légèrement ahuri, pendant qu'elle prenait place à côté de lui. Elle s'était changée, circulait à présent en kimono crêpé, chaussée d'une paire de mules Melvin & Hamilton bordées d'imitation fourrure.

Tu as fumé ou je rêve.

Je ne pensais pas que tu allais redescendre.

Moi non plus. Puis je me suis dit comment laisser un beau garçon comme ça tout seul.

D'un petit panier qu'elle avait posé sur la table basse, lequel panier proposait différents flacons, tubes, rondelles de coton, produit pour les lentilles et serviettes en papier, elle retira une fiole dont le contenu ressemblait à de l'huile d'olive non filtrée.

C'est assez nouveau, dit-elle. C'est bon pour la cicatrisation, paraît-il. Je ne vois pas la différence, personnellement, mais au moins c'est remboursé. Est-ce que tu vois une différence, toi.

Elle découvrit un de ses mollets amochés et il se pencha pour mieux voir mais il n'y avait d'autre source de lumière que la lueur des flammes, ce qui rendait l'examen difficile, sujet à caution.

En tout cas, ce n'est pas plus moche, dit-il. Je sais pas, il faut peut-être voir sur le long terme.

Pour commencer, elle se démaquilla. Il pensa qu'il était le seul élu au monde à jouir de ce spectacle. Le produit qu'elle utilisait sentait bon, ses gestes avaient un effet hypnotique sur lui.

Et je sais bien, dit-elle, je sais très bien ce que tu penses. Je peux le comprendre. J'ai sans doute été un peu brutale. Tu n'as pas d'éléments pour juger, je le sais bien.

Et c'est très bien comme ça, trancha-t-il. Au fond je n'ai pas envie de savoir. C'est vos histoires, tout ça. Est-ce que tu veux fumer.

Non, merci. Je ne l'ai jamais dit à Patrick. J'avais peur que les choses finissent mal, tu sais, le connaissant.

À présent, elle s'était enduit les mains d'une crème blanchâtre et elle les croisait l'une dans l'autre, les enroulait l'une sur l'autre, les tordait, les cajolait, les pressait affectueusement.

Ce n'est pas ton cas, reprit-elle. Tu es moins excessif. Je n'ai pas peur que tu exploses.

On n'en sait rien. On n'a pas fait de crash test, plaisanta-t-il mollement.

Ce que je ressens, maintenant, ce que je pense au fond de moi, poursuivit-elle, c'est que tu es désarmé face à lui. Parce que tu ne le connais pas, tu ne sais pas qui il est.

Plus tu m'en parles, moins j'ai envie de le savoir.

Elle s'essuya les mains dans un kleenex. Puis elle appuya son talon contre la table basse et versa un peu du fameux produit sur son mollet couturé de cicatrices qu'elle massa en douceur.

Faire l'autruche n'est pas la meilleure méthode, dit-elle.

Plutôt que répondre, il se leva pour tisonner le feu, provoquant de grésillantes gerbes d'étincelles. Lorsqu'il se tourna vers elle, Diana s'occupait de son autre mollet. Et elle ne savait pas tout, songea-t-il avec amertume, car si elle avait une bonne raison de haïr son frère, elle pourrait bien en avoir une autre en apprenant le sort qu'il avait réservé à Brigitte.

Il se rassit lourdement, ployant sous une charge irrésistible. Tu es sûre que tu ne veux pas fumer, demanda-t-il. Nous pourrions changer de sujet.

Elle secoua la tête, resta concentrée sur le soin qu'elle prodiguait à ses jambes avec une tendre obstination.

Prépare-toi à une révélation terrible, annonça-t-elle en écartant les pans de son kimono pour se consacrer à ses cuisses.

C'était à la fois ce qu'il craignait et souhaitait confusément. Il serra les dents. Depuis qu'ils partageaient l'appartement, elle ne s'embarrassait guère de précautions vestimentaires — relevant de la plus élémentaire décence — à son endroit, et s'étonnait avec un haussement d'épaules de ses scrupules en la matière. De sorte qu'elle ne s'inquiéta pas un seul instant du renversant spectacle qu'elle offrait — il savait par avance qu'elle opposerait, à sa moindre remarque, le fait qu'elle portait une culotte et qu'il n'avait sans doute jamais vu une fille en bikini. Or aucune comparaison. Il n'avait pas l'intention d'entrer dans les détails, mais il n'y avait aucune comparaison.

Je ne veux rien entendre, déclara-t-il en quittant son fauteuil.

Puis, ne sachant plus pourquoi il se trouvait debout, il se

rassit une nouvelle fois. Elle leva un œil sur lui pour voir ce qu'il fabriquait et reprit sa tâche. Il regretta de ne pas avoir pris un livre, croisa les jambes et regarda ailleurs tandis qu'elle se triturait consciencieusement les cuisses devant lui. Il n'aurait plus manqué que son kimono s'entrebâille, qu'elle ne porte pas de soutien-gorge, ce qui était probable, et il ne pourrait même plus déglutir.

Tu jugeras en ton âme et conscience, dit-elle. Je ne te dicterai pas ta conduite.

Les coups d'œil qu'il lui lançait à présent duraient à peine une seconde, mais c'était déjà trop. À chaque regard, tu mériterais le fouet, se disait-il, mais leur fréquence augmentait à mesure que sa résistance diminuait. Durant un bref instant, il tenta de se libérer de l'attraction inexorable qui le poussait à se rincer l'œil en direction de l'entrejambe de Diana mais ce fut peine perdue et il la considéra fixement avec des yeux de merlan frit lorsque apparut une trace humide et sombre au beau milieu de son fond de culotte.

Il fait chaud, non, dit-il. Je vais ouvrir la fenêtre.

Tu n'y penses pas, j'espère. Je vais mourir de froid.

De nouveau, il bondit de son siège. Il lui demanda juste une minute et se dirigea droit vers la fenêtre et l'entrouvrit. Nom de Dieu. Il respira un grand coup. L'indicible fraîcheur qui vous sauvait un homme de la tourmente. Nom de Dieu. Et cet air marin, si vivifiant de prime abord, mais qui finissait par sentir la chatte, ce qui était très mauvais pour ce qu'il avait, eu égard à son érection. Il se frotta les yeux puis referma pensivement la fenêtre.

Voilà. Pardonne-moi.

Elle en avait terminé avec ses soins et remballait ses affaires. Son kimono était sagement retombé sous ses genoux. Elle était devenue pâle comme une morte.

Assieds-toi, Marc. J'espère que tu n'as pas trop fumé et que tu vas bien entendre ce que je vais dire.

Ça va, j'ai pas besoin de m'asseoir, dit-il.

Elle opina en se mordillant la lèvre avant de se lancer. Joël a violé une fille de ma classe, annonça-t-elle d'une voix faible. Autrefois. Sauvagement. C'était ma meilleure amie.

Un silence aigu se mit à siffler aux oreilles de Marc et dans la seconde son sexe se recroquevilla, se réduisit à rien, tandis que Diana baissait la tête, effleurant d'une main indécise l'anse de son panier d'osier.

Il a même cherché à l'étrangler, enchérit-elle pour compléter le tableau. Maintenant, tu en fais ce que tu veux. Au moins, tu sais.

Fallait-il qu'ils aient été aveugles, Patrick et lui, pour ne pas se rendre compte que Joël ne tournait pas rond, fallait-il qu'ils aient été sacrément dépourvus de flair, de sagacité, pour n'y avoir vu que du feu durant tout ce temps. Il n'y avait pas de quoi pavoiser.

L'aube le surprit dans la cuisine, debout, les bras croisés devant la fenêtre où ruisselait la rosée. La tristesse, la douleur, la colère, la désillusion, la répugnance constituaient un infâme brouet qui lui pesait sur l'estomac.

Il attrapa son ciré et sortit faire un tour en bateau après avoir collé l'oreille à la porte de Diana pour s'assurer qu'elle dormait.

Il ne s'éloigna pas trop des côtes car un épais brouillard stagnait sur l'océan à moins d'un mille et l'on pouvait vite ne plus rien voir du tout. Il se mit à pêcher, il ne pouvait pas rester sans rien faire. Il fallait qu'il s'occupe les mains pour se libérer l'esprit. Il se laissa bercer par la houle. Il attrapa une belle dorade qui se débattit dans l'opalescente lumière matinale. Il la relâcha. Puis il reprit les commandes manuelles et longea la côte en gardant un air sombre.

Quand il rentra, Diana était levée. Pendant un moment, ils restèrent silencieux, échangèrent maints regards en préparant le petit déjeuner.

C'est dur à digérer, n'est-ce pas, dit-elle.

Plutôt, oui. Ça va être difficile.

Soudain, comme il la regardait, il se sentit transpercé par une décharge électrique et l'illumination lui vint. Diana comprit aussitôt qu'il avait compris.

Oh non, non pas ça, gémit-il en écrasant sa serviette sur la table.

Elle piqua du nez sur son bol. Il s'écarta de la table. Pour finir, il lui toucha le bras mais il n'avait rien à dire. Il la serra brièvement contre son épaule avant de filer comme un voleur.

Dans le hall d'entrée, il croisa Claudie qui venait ouvrir le cabinet et celle-ci, encore toute choquée, lui expliqua qu'un type sur le trottoir, planté devant la maison, l'avait tout à coup, sans raison, prise à partie et injuriée alors qu'elle lui demandait aimablement si elle pouvait le renseigner.

La moitié de la population de cette planète est folle, déclara-t-il. Les gens mangent trop de viande. Ça fait partie de l'Effondrement.

En sortant, il regarda à droite puis à gauche. D'un bout à l'autre le trottoir était vide. La brume s'effilochait au-dessus de l'avenue et découvrait un ciel maussade où s'égaillaient quelques oiseaux criards.

Joël dormait encore lorsque Marc pénétra dans son bureau. Il était par terre, hirsute, bouche ouverte, couché en chien de fusil au pied de son canapé-lit, vaguement entortillé d'un drap chiffonné dont ses pieds dépassaient.

Il régnait dans la pièce, encore plongée dans la pénombre, une fielleuse odeur de transpiration humaine mêlée d'alcool éventé. Avant tout, Marc tira sèchement les rideaux, ouvrit les baies, puis il revint vers Joël et le secoua jusqu'à ce que celui-ci cligne des yeux en grognant.

Sans un mot, Marc l'attrapa par un bras, l'aida sans ménagement à se remettre sur pied et le planta devant le lavabo du cabinet de toilette. Il repoussa la porte, entendit l'eau couler, jeta le drap dans un coin, referma le canapé, ramassa les bouteilles vides, rassembla des photos de Brigitte éparpillées sur le bureau et les glissa dans un tiroir. Il ne trouva ni reliefs ni traces d'un repas quelconque ou de nourriture. Il retourna dehors pour l'attendre.

Le brouillard s'était levé mais des nuages bas, fuligineux,

obscurcissaient rapidement le ciel, au point que l'éclairage public tardait à s'éteindre. Joël le rejoignit alors qu'il observait du coin de l'œil deux jeunes qui se tenaient au bout de la jetée et qui lorgnaient dans sa direction, en plein conciliabule.

Joël lui posa une main sur l'épaule — ce qu'il avait fait des milliers de fois sans que Marc songeât à s'en plaindre mais cela le fit presque grimacer, ce matin-là.

Joël sentit la très légère hésitation de Marc sous sa main, mais il se sentait trop nauséeux pour se pencher sur la question, et il laissa couler. Il faisait gris, néanmoins encore trop éblouissant pour lui. On tapait des fers sur une enclume, sous son crâne. Puis il leva les yeux et il les vit. Il ôta sa main de l'épaule de Marc et déclara qu'il allait chercher ses lunettes de soleil. Il réapparut sans lunettes mais avec sa batte en aluminium et un fauteuil de jardin pliant qu'il installa sur le quai et dans lequel il s'assit.

Je peux pas leur courir après, dit-il. Trop rapides. Je vais attendre qu'ils la ramènent, ces petits enfoirés. Ils sont encore quelques-uns dans la nature, il semblerait.

Marc l'observa pendant qu'il surveillait les deux autres. Il espérait voir apparaître sous ses yeux le vrai Joël, l'ordure qu'il était, comme elle disait. Mais au bout d'une minute, il voyait toujours le même homme, le type qu'il connaissait et qu'il affectionnait.

Remarque, s'ils viennent pas, reprit Joël après quelques minutes, j'aime autant ça, je vais te dire. Je ne suis pas en grande forme.

Puis le chef d'atelier arriva, puis la secrétaire, et les deux jeunes levèrent le camp dans la foulée sans plus d'explication.

Impossible de dormir, déclara Joël tandis qu'ils retournaient à l'intérieur. J'ai dû prendre des somnifères. Sauf que là j'ai exagéré. Mais toi, tu fais une drôle de tête.

Je n'ai pas beaucoup dormi, moi non plus. J'ai fait des cauchemars.

J'ai peur que ça soit pas fini, répondit Joël les épaules basses. Comment ne pas y penser. Quelle foutue connerie on a faite, toi et moi.

Oh écoute, s'emporta Marc, je veux plus entendre ça. Fous-moi la paix avec ça, d'accord. Ferme-la. Boucle-la. Joël resta stupéfait de l'agressivité avec laquelle Marc venait de le rembarrer. Il le regarda s'éloigner encore abasourdi par la charge dont il avait été la cible, surtout de la part de Marc qu'il avait toujours, et de loin, préféré à son frère. Quelle mouche l'avait donc piqué. Malgré son affreux mal de tête, il s'interrogea sur les raisons du coup de sang de celui qu'il considérait comme son protégé, mais il devint tout à coup plus urgent de s'octroyer quelques aspirines sans quoi son abominable migraine allait l'achever.

Il remonta dans son bureau et s'allongea. L'incident le contrariait. La brutalité avec laquelle Marc l'avait envoyé promener. Il en était encore choqué après deux cachets. La visite de Serge lui changea les idées.

Ça doit faire partie du reste de la bande, estima celui-ci. Un peu de patience, on en viendra à bout.

Voyant que Serge semblait confiant, content de lui, bien

installé sur ce canapé où il passait quant à lui des nuits affreuses depuis que Brigitte l'avait mis dehors, Joël se résolut à sourire. Cette histoire devenait le dernier de ses soucis, finalement.

Je peux plus trop m'en mêler, continua Serge en prenant une poignée de cacahuètes. Je dois laisser la police faire son boulot. Okay, je suis d'accord. Mais je leur ai dit très bien, les gars, mais on vous a mâché le travail, pas vrai, on vous a livré ça sur un plateau, mes salauds, nous remerciez pas, mais attendez pas trop pour finir le ménage.

Il reprit des cacahuètes. Faut les secouer, tu sais, fit-il en hochant la tête. Sinon cette ville deviendra un chaos. Regarde Brigitte. Je veux pas remuer le couteau dans la plaie, mais qu'est-ce qu'elle est devenue. Hein, on vit pas au milieu de la jungle, quand même. Où est-ce qu'elle est passée. Qu'est-ce qui lui est arrivé, merde, quand je dis qu'il faut pas tout laisser faire.

Oui, tu as raison, mais on s'en fout, répondit Joël. Je suis pas en train de penser à ça. Tu me parles de Brigitte à un mauvais moment. Marc vient de me foutre un coup de poing dans la gueule, façon de parler, bien sûr, il ne m'a pas vraiment foutu un coup de poing dans la gueule, c'est une image. Il s'est énervé après moi et je m'y attendais pas du tout. Une vraie douche froide. J'en suis pas encore revenu.

Moi je le trouve bizarre, parfois, déclara Serge en faisant la moue. Il parle pas beaucoup.

Serge, je vais te poser une question, fit Joël. À ta mort, est-ce que tu voudrais être enterré.

Hein. Enterré. Je ne sais pas. Ma foi oui. Je suppose. Je crois. Pourquoi.

Est-ce que c'est important pour toi d'avoir une tombe.

Mais c'est quoi, ces questions. Une tombe. T'es marrant. Oui bien sûr une tombe. C'est important d'avoir une tombe.

Eh bien merci, c'est tout ce que je voulais savoir.

C'est quoi, c'est pour une enquête.

Non, c'est des questions que tu te poseras quand tu auras mon âge. Des trucs de vieux. Ça donne envie de prendre une assurance-vie, je trouve. Je connais un cimetière superbe, un peu battu par le vent mais avec vue sur l'océan, et la terre est noire et grasse et il n'y a plus de place, on devient trop nombreux, mais peu importe, l'important c'est qu'il existe.

Serge se leva sans plus attendre. Bon, eh bien je te dis à ce soir, déclara-t-il, j'ai fait un rôti de veau aux pruneaux.

Le chef d'atelier, le mécano, la secrétaire, les gars de l'entretien, Joël les avait tous soumis à ces simples et mêmes questions et les réponses avaient toutes été peu ou prou les mêmes.

Qu'est-ce que Marc aurait dit de ça, songea-t-il. Tout le monde voulait une tombe et tout le monde trouvait important d'en avoir une. Lequel des deux était l'insensé. Lequel des deux refusait de voir l'horreur qu'ils avaient commise en larguant Brigitte dans l'océan. Cette espèce d'infamie.

Il n'avait pas eu le temps de réfléchir. Marc ne lui avait pas laissé le temps de réfléchir, tout avait été réglé en quatrième vitesse, bing, bang, ils étaient déjà en mer et le tour était joué. Ce connard de gosse. Car il n'était qu'un gosse, après tout il aurait très bien pu être son père.

Patrick était une tête brûlée, celui qui avait tout raflé sans y mettre aucune forme, qui avait imposé sa loi en usant de son charme, de sa capacité à s'imposer aux autres, de l'ascendant qu'il exerçait sur Diana, tombée folle de lui dès leur première rencontre, Diana qui lui accordait tout.

Marc était bien différent. Joël avait dû se résoudre à céder une partie de son territoire aux nouveaux arrivants et sa relation avec Patrick, faute de mieux, avait toujours été tendue, quoique s'apaisant au fil du temps. Mais avec Marc, le courant était passé presque aussitôt, il avait apprécié la compagnie de ce garçon étrange et taciturne au point qu'il avait fini par ne plus regretter l'irruption des deux frères sur son territoire et même les avait embauchés — ce qui lui avait permis de conserver un peu du rang et de l'autorité morale qu'il avait perdus.

Il avait autant envie d'aller dîner chez Charlotte et Serge que d'aller se faire pendre mais la perspective de rester seul à broyer du noir dans son hangar à bateaux, de tourner en rond dans son bureau que le crépuscule ne tarderait pas à envahir, eut raison de sa réticence.

Il se rasa et se coiffa, trouva une chemise propre en l'honneur de la maîtresse de maison — il trouvait toujours un certain charme à ces traditions d'un autre âge, aux bonnes manières, aux mots poudrés, mais ça ne l'obsédait pas non plus, il aurait pu dire, plus simplement, qu'il faisait ça pour faire plaisir à Charlotte et ça aurait marché aussi bien, mais il se sentait assez triste et ces parfums surannés, l'honneur de la maîtresse de maison, les baisemains, les ronds de jambe, bla bla bla, collaient mieux avec la situation.

Marc lui manquait déjà. C'était triste à dire mais l'incident de la matinée le taraudait. La vieillesse ne ramollissait pas que les fesses, songea-t-il en nouant sa cravate, elle ramollissait le cœur et aussi le cerveau. En se regardant devant le miroir fixé au-dessus du lavabo, il se fit peur.

Ils s'installèrent au salon pour l'apéritif et ils parlèrent de Brigitte.

Passèrent à table pour le rôti et poursuivirent sur le même sujet.

Toutes les hypothèses à propos de la disparition de Brigitte, les questions que cela suscitait, le point sur l'enquête qui n'avançait pas d'un pouce, les vains efforts de Serge pour obtenir des informations de première main, les initiatives à envisager telles que placarder son portrait en ville ou l'imprimer sur les packs de lait, rien ne fut laissé au hasard et Joël fut emporté dans ce sinistre tourbillon jusqu'à la nausée.

Une vraie réussite, ce dîner aux allures de veillée funèbre.

Quand je pense qu'il y a peu, elle était encore parmi nous, déclara Serge en se levant pour débarrasser la table. Joël regarda ailleurs, vers le noir de la fenêtre où tanguaient quelques silhouettes de palmiers ébouriffés. Quel imbécile, parfois, ce Serge, se disait-il. Pas le méchant gars, mais bon. Sa femme était bien, Charlotte. Sa tarte aux pommes habituelle n'était pas terrible mais il faut dire qu'elle n'avait qu'une main. Elle était bien, cette femme. Elle avait l'air de s'ennuyer dans cette maison. Brigitte et elle commençaient à se connaître un peu.

Elle aussi aurait voulu une tombe. Il avait réussi à lui poser la question et c'était sans appel. Ça ne l'étonnait pas.

Cette fois, Charlotte avait préparé un gâteau de tapioca à la vanille assez caoutchouteux, une recette de Brigitte, d'ailleurs, expliqua-t-elle, je l'ai fait pour qu'on pense à elle.

À ces mots, Joël eut un sanglot et il fondit en larmes. Serge, qui était debout et s'apprêtait à servir un digestif, en resta interdit, tandis que Charlotte s'empressait auprès de Joël qui avait replié un bras sur la table et y collait son front en gémissant.

Ils durent le câliner, lui servir des verres, pour l'apaiser. Personne n'a dit qu'elle était morte, Joël, je n'ai certainement pas dit ça, mon Dieu, alors que je suis persuadée qu'elle est toujours en vie, comment j'aurais pu dire ça, voyons, réfléchis, le gronda gentiment Charlotte. Ils compatissaient, ils se lançaient des coups d'œil pardessus Joël et échangeaient des soupirs silencieux.

Plus tard, lorsqu'ils le raccompagnèrent à sa voiture, ils le regardèrent effectuer une pénible et navrante manœuvre pour faire son demi-tour.

Putain, il va pas fort, soupira Serge.

Il est dévasté, tu veux dire, enchérit Charlotte en frissonnant dans le vent frais. Je n'aurais pas cru.

Une mauvaise passe, pour lui.

Oui, pauvre Joël.

Ils lui firent au revoir de la main quand il s'engagea sur la route. Reniflant par à-coups, les yeux larmoyants, il leur jeta un dernier regard dans son rétroviseur et ça n'a pas loupé. Les ordures. Ils rigolaient. Ils étaient hilares. Il en était sûr. Dès qu'il aurait le dos tourné, ils allaient se foutre de lui, ça ne faisait pas un pli. Les ordures. Leurs caresses de chiens. Leur dîner de merde.

Il s'essuya les yeux avec sa manche, ses larmes n'arrêtaient pas de couler mais il pouvait sangloter sans retenue, il était seul, pratiquement aucune circulation dans ce quartier, des rues à angle droit, des pavillons, il pouvait même hurler si ça lui chantait. Les ordures. Qu'est-ce qui était drôle. Qu'est-ce qui les faisait rire. De voir un homme en train de pleurer, de voir un homme s'effondrer, le regarder chialer comme un enfant. Est-ce que c'était une réaction humaine, cette absence totale d'empathie.

Et ce qui rendait tout ça encore plus dur, en vérité, c'était Marc. Ce séisme. Le vide glacé qu'il ressentait. Il se gara sur le bas-côté pour reprendre sa respiration et fermer les yeux un instant en serrant le volant des deux mains pour les empêcher de trembler. C'était un déchirement épouvantable, définitif. C'était fini. L'étincelle empoisonnée de la matinée irradiait à présent comme le soleil au zénith, elle avait enflé d'heure en heure jusqu'au moment où il avait fondu en larmes devant les deux autres. Le barrage qui cédait.

C'était fini avec Marc, tous les liens avaient été tranchés d'un coup. Il ne savait pas pourquoi, n'y comprenait rien, mais la raison importait peu, seul le résultat comptait. Il était seul, à présent. Sans l'ombre d'un doute. Il le savait avant de l'avoir compris.

À un feu rouge, dans un quartier chaud, une femme entre deux âges se pencha au carreau côté passager. Mais soit elle parlait en chinois, soit il devenait sourd, en tout cas il ne comprenait strictement rien à ce qu'elle racontait, la voyait sans la voir, et quand le feu passa au vert et qu'on l'eut klaxonné, la femme grimpa illico à bord et il redémarra, ne sachant pas très bien ce qu'il faisait.

Peine de cœur, demanda la femme.

Il lui jeta un coup d'œil, ne répondit rien mais se regarda dans le rétro, ses yeux rougis, ses joues luisantes de larmes, son air ahuri, la panoplie était complète.

Dans ce cas, j'ai ce qu'il te faut, annonça-t-elle en lui posant une main sur la cuisse.

Il hocha la tête. Non pas en guise d'assentiment, comme sa passagère sembla l'interpréter car elle sourit, satisfaite, et alluma une cigarette, mais parce qu'il n'avait d'autre réponse à donner, eu égard au sinistre sentiment de déréliction qui l'avait envahi.

Elle tira quelques bouffées puis voulut en faire profiter Joël. Sans succès. Ils étaient parvenus sur les quais et Joël se garait entre les remorques alignées sous les fenêtres de son bureau. Ignorant la femme, il se précipita au bord de l'eau, persuadé qu'il allait vomir, éructa bruyamment, plié en deux, mais ne produisit qu'un long filet glaireux qui resta suspendu à ses lèvres.

Puis un drapeau blanc flotta devant ses yeux. Il tourna la tête avec peine et cette femme était là qui agitait un mouchoir de papier.

Quand je te disais que j'avais ce qu'il te fallait, déclara-t-elle en riant de bon cœur cette fois.

Il la considéra avec méfiance mais accepta le mouchoir. Il dut faire un effort pour se souvenir d'où cette femme sortait et en même temps quelque chose le gênait. En tout cas, elle avait l'air contente d'être là, elle semblait réjouie. Une blonde décolorée, de l'âge de Diana, habillée court malgré la température qui tombait à six ou sept dès que le soir arrivait, assez maquillée, en bonne forme, plutôt voyante.

Mince alors, s'exclama-t-elle, j'ai donc tellement changé.

Qui n'aurait pas changé en près de quarante ans. D'autant qu'il n'était pas physionomiste. Et des copines, Diana en avait eu beaucoup.

Oh oui, je crois que ça me revient, fit-il pour ne pas être désagréable. Mais ça fait un bail. Quelle coïncidence.

Il ne savait pas très bien où il était, il essayait de remonter à la surface. Il en avait tellement bavé sur le chemin du retour, les larmes, la tristesse et tout cet abominable schnaps qu'ils lui avaient fait boire pour le réconforter, que reprendre pied n'était pas facile. Avec cette femme qui surgissait tout à coup dans le décor, qui disait s'appeler Denise, qui pouvait bien être une hallucination.

Il était sûrement tard. Le quai était désert et il faisait sûrement froid car Denise grelottait.

En tout cas, moi je te connais, dit-elle en affichant un air réjoui. Tu étais même un sacré coureur, à l'époque.

Il baissa la tête. Elle disait vrai, il s'en était payé, plus jeune, et plus souvent qu'à son tour, il était comme un loup lâché dans un poulailler.

Écoute, je te suce pour cent euros, déclara-t-elle.

Il la regarda. Son esprit marchait au ralenti. Puis il songea que, peut-être pour le même prix, il pourrait profiter d'un voyage dans le temps, qu'elle réveillerait de vieux et lumineux souvenirs.

Ils montèrent dans son bureau. La vue sur le port, un rayon de lune sur l'océan enthousiasmèrent Denise, de sorte qu'elle lui demanda de ne pas allumer afin de profiter de la magie du spectacle.

Il lui apporta un verre tandis qu'elle restait plantée devant la baie comme un enfant devant une vitrine de Noël.

Quarante ans c'est beaucoup et c'est rien, non, soupira-t-elle.

Comme il se tenait à côté d'elle et se trouvait encore en mal de conversation, il glissa une main sous sa jupe et lui caressa les fesses à travers l'étoffe soyeuse de sa lingerie. Pour voir. Pour voir s'il en avait envie, pour voir comment elle réagirait. Pour voir si ça en valait la peine, dans son état, dans la situation présente.

Elle ne broncha pas, cependant, écarta même un peu les jambes pour qu'il puisse poursuivre ses manœuvres.

L'exercice dura quelques minutes, le temps pour Denise de se sentir en confiance et pour Joël de redescendre sur terre.

Est-ce qu'on peut nous voir du dehors, demanda-t-elle.

Il était en train de revivre, par éclairs, les meilleurs instants de son adolescence, toutes les demoiselles qu'il avait sautées et en premier lieu les copines de Diana, qui en vérité étaient toutes des salopes autant qu'il s'en souvenait.

Branler une fille lui avait toujours fait battre le cœur. Elles se donnaient, mais elles lui reprochaient sa distance, sa froideur, le peu de cas qu'il faisait d'elles. En fait, elles se trompaient, elles faisaient battre son cœur. Elles faisaient battre son cœur tel un furieux métronome dès qu'il mettait la main dans leur culotte.

Aussi était-il fort occupé et eut l'air de tomber des nues lorsqu'elle renouvela sa question.

Hein. Non, non, pas de danger, bredouilla-t-il.

Ah. Alors c'est super.

Elle dégrafa sa jupe qui tomba à ses pieds. Il ressentit un pincement au fond de ses entrailles car Brigitte faisait ça avec brio, laisser sa jupe glisser jusqu'au sol et l'enjamber en gardant ses talons, comme si elle sortait de la coquille d'un œuf encore tiède.

Ils se resservirent un verre avant qu'il reprenne ses attouchements. Elle posa un pied sur la table basse et se pencha légèrement en avant pour plaquer ses deux mains sur la baie. Il se demandait s'il ne fallait pas croire en Dieu de temps en temps, quand advenait un tel miracle par exemple. Cette femme, il n'aurait pas pu rêver mieux pour panser ses plaies. Elle était drôle, chaleureuse, il pouvait en faire ce qu'il voulait et il bandait comme un âne. Et quel fantastique hasard de tomber sur une vieille, très vieille connaissance — au point qu'ils se demandèrent s'ils n'avaient pas couché ensemble, à l'époque, et ils se creusèrent la cervelle sans parvenir à se forger une certitude —, quelle improbable chance de la croiser en ville ce soir-là, qu'elle soit libre et qu'elle racole des types dans la rue, non mais quelle veine incroyable. Il ne faut jamais désespérer. Jamais.

Avant de le sucer, elle déclara je ne te ferai pas payer. Joël, ça me fait plaisir, en souvenir de cette rencontre.

Tu ne sais pas de quel puits tu m'as tiré, lui avoua-t-il en lui suçant les seins.

Eh bien si c'est vrai, j'en suis heureuse. Diana et moi on s'aimait bien.

Mais le plus beau, ce fut peut-être au matin, quand il se réveilla, alors que les premiers rayons de soleil fusaient déjà dans l'entrebâillement des rideaux et baignaient le corps de Denise, nu et abandonné sur les draps, plus très frais mais prenant encore agréablement la lumière, et puis ce calme, le cri des mouettes au loin, cette petite renaissance.

Quelle paix pour son esprit, tout à coup. Denise ne voulait pas être payée mais il se leva avant qu'elle ne se réveille et enfouit dans son sac tout l'argent qu'il trouva dans ses poches et dans son portefeuille. Puis il alluma la machine à café et ouvrit la baie pour donner à manger aux mouettes. L'air sentait bon, pas encore le mazout. En repensant à la nuit qu'ils avaient passée — et l'on peut dire ce qu'on veut, mais rien ne vaut une professionnelle, c'est comme dans tout —, l'idée qu'il avait baisé la plus vieille femme, et de loin, de son existence le fit sourire — et ses convictions vacillèrent, mais il en ricana.

De son côté, Marc n'en pouvait plus de Joël. Qui avait violé Diana, étranglé Brigitte, et maintenant le mettait en rage avec ses histoires de tombes. Et avec ses mouettes. Joël devenait complètement cinglé.

Marc ne regrettait pas de l'avoir envoyé au diable. Les choses couvaient depuis quelque temps, plus ou moins identifiables, et leur petite altercation n'était que la pointe de l'iceberg. Mais c'était une borne.

Il avait passé la journée à l'éviter, à l'ignorer. À l'observer aussi, furtivement, et plus il l'observait plus il sentait qu'il s'éloignait de lui, comme si un courant contraire et invincible l'emportait.

Certes, il ne pouvait se faire au viol de Diana, mais le meurtre de Brigitte lui apparaissait maintenant sous une lumière plus crue et leur somme devenait insupportable.

Je voulais que tu sois au courant, c'est tout, avait déclaré Diana qui s'inquiétait de la suite que le changement d'humeur de Marc augurait. Je voulais juste t'ouvrir les yeux sur lui, que tu gardes une certaine distance et ça me suffira amplement.

À cet instant, une ligne siffla. Diana s'en occupa. Marc coupa le moteur. Elle ne savait pas tout, évidemment, mais si elle savait, la pauvre, songea-t-il en sortant du cockpit pour la rejoindre à l'arrière. Le soir tombait, l'océan était calme, le ciel nuageux. Elle avait glissé la canne dans son harnais et commençait à mouliner. Ça tirait bien, par secousses. Il la laissa faire et vida une mignonnette de whisky qui traînait dans sa poche tandis que Diana s'activait avec méthode. C'était bien simple, quoi qu'elle fît, il ne se lassait pas de la regarder.

Il se préparait à découper la bonite quand Diana revint à la charge.

Est-ce que tu crois que je pourrais supporter ça une seconde, fit-elle d'une voix sourde. Qu'on ressorte cette histoire au grand jour.

Il n'avait pas besoin de lui répondre. Il ouvrit la bonite, jeta la tête et les viscères par-dessus bord, nettoya le sang au jet — on aurait dit qu'il y en avait des litres.

Ils suivirent la côte qui s'offrait les dernières lueurs fauves du crépuscule et rentrèrent à la nuit noire. Il remarqua qu'elle grimaçait en prenant pied sur le débarcadère et elle déclara que c'était cette fichue jambe gauche et qu'ils envisageaient de la rouvrir pour voir ce qui n'allait pas. Ça arrive, il paraît, concéda-t-elle avec un haussement d'épaules.

Elle monta dans sa chambre pendant qu'il faisait cuire le poisson sur le barbecue du balcon. Un léger vent d'est emportait la fumée et son odeur exécrable vers la plage. Pas de lune, mais quelques étoiles assez lumineuses. Une bière blanche. Le grésillement de l'huile sur le feu. Il aurait aimé savoir ce que Joël était en train de fabriquer en ce moment, à quoi il pensait, ce qu'il ressentait, et ce que tout ça allait donner durant les jours qui viendraient. Il devait rester vigilant. Dans la vie, il fallait avoir de sérieux talents d'équilibriste — que l'on soit alcoolisé ou pas.

Diana redescendit en pyjama, le téléphone collé à l'oreille.

C'était Charlotte, dit-elle. Pour me confirmer son rendez-vous demain matin.

Il lui sourit. Parfois, elle mentait vraiment mal.

C'est prêt, dit-il.

Elle le considéra d'un air perplexe en s'asseyant. Elle lui demanda ce qu'il y avait. Il la servit. Il se sentait très calme.

Rien d'important, répondit-il. Mais lorsque tu parles à Serge, ne me dis pas que tu parles à Charlotte. Je vois pas trop l'intérêt. Tu fais ce que tu veux.

Elle hésita un instant puis baissa les yeux sur son assiette et commença tranquillement à manger. Il l'imita.

Qu'est-ce que tu sais au juste, fit-elle après un silence où elle avait semblé dans les nuages.

Il s'essuya la bouche. Que vous baisez ensemble, enfin il y a de fortes chances. Je n'ai pas besoin de savoir autre chose.

Il n'y a rien d'autre à savoir. Tout le monde fait ça. Sauf

toi, naturellement. Mais bref. Je ne sais même pas qui il est et ça ne m'intéresse pas de le savoir. Si ce n'était pas lui, ce serait un autre. Je n'y arrive pas, toute seule, je suis désolée.

Qu'est-ce que j'ai dit, j'ai rien dit.

Est-ce que ça te plaît que je couche avec lui.

Non.

Tu vois. Tu me le reproches. De quel droit.

J'aime pas ce mec, voilà tout.

Ma parole, mais tu es jaloux, ricana-t-elle.

Non, plutôt dégoûté, fit-il en débarrassant. Mais je finirai bien par m'y habituer.

Elle le retrouva un peu plus tard, devant le feu, occupé à casser des noix en les serrant dans son poing.

Parfois, pour régler un problème, dit-elle, on prend ce qu'on a sous la main.

Écoute, j'ai pas besoin d'entendre ça.

J'aimerais bien savoir de quoi tu as besoin. Ça m'aiderait.

Il se tourna vers elle. Sans la quitter des yeux, il fit craquer une noix dans sa main et la lui tendit ouverte. Elle soutint son regard, n'esquissa pas le moindre geste.

Il mangea la noix. Si Patrick était encore là, marmonna-t-il, je n'aurais pas toutes ces histoires à régler.

S'il était encore là, répondit-elle, certaines questions ne se poseraient pas. Ma vie aurait un sens. Je marche dans la vallée des ombres et elle est tapissée de braises, au cas où tu serais aveugle. Je ne suis pas trop grandiloquente, j'espère.

Il hésita, puis il prit place à côté d'elle et posa une main sur la sienne.

Elle se raidit un peu. Ça ne répond pas à ma question, déclara-t-elle.

Si, d'une certaine façon, répliqua-t-il.

Sur ce, d'un pas lourd, il monta se coucher.

Il passa une nuit épouvantable. Un avis de tempête avait été émis pour le lendemain matin mais le vent tourna au milieu de la nuit et une forte houle atteignit la côte au moment où, enfin, il s'endormait.

Il ne ferma plus un œil jusqu'au point du jour, dans une aube qui se levait à grand-peine, lacérée de furieuses bourrasques qui fouettaient toute la maison. Apparemment, Diana ne se réveilla pas une seule fois, il ne vit aucun rai de lumière sous sa porte. Au salon, le vent hurlait dans la cheminée, les éléments grondaient. Après avoir bu quelques whiskies, il se sentit ivre de fatigue, le moral à zéro. Alors donc, il s'occupa du feu durant presque toute la nuit, il l'alimenta avec précaution, comme on nourrirait un animal sauvage, il donna un nom de femme à chacune des bûches qui se consumaient devant lui et il les accompagna l'une après l'autre, jusqu'au bout, dans leur lumière, dans leur splendeur, dans leur infinie puissance, dans leur agonie triomphante. Il piquait du nez mais c'était un volet qui claquait, le crépitement de la pluie qui enflait par vagues, une alarme qui se déclenchait, le craquement d'une branche, et son œil se rouvrait.

Au matin, le ciel demeurait très sombre, mais le vent et la

pluie s'éloignèrent. Lorsqu'il regagna sa chambre, assez tôt pour éviter de croiser Diana tant qu'il n'aurait pas les idées plus claires, il reçut un message de Charlotte lui annonçant qu'elle venait d'entendre deux ou trois trucs qui pouvaient l'intéresser. Elle proposait de le voir après sa séance avec Diana. Il grimaça aussitôt. Il avait envisagé de passer un samedi tranquille, sans voir ni parler à quiconque au moins jusqu'au soir, car la ronde infernale dans laquelle il se sentait embarqué commençait à le fatiguer.

Elle était contente de le revoir. Elle avait espéré qu'il se manifesterait mais elle n'avait pas été exaucée. Il bredouilla une excuse tandis qu'elle ôtait son manteau et s'avançait vers la cheminée en se frottant les mains — dont celle en silicone.

Ça ne va pas te faire plaisir, annonça-t-elle.

Avec résignation il l'invita à poursuivre car elle semblait bloquée tout à coup. De sorte qu'elle reprit.

Il en tomba assis devant elle. Sur le canapé. La pièce était plongée dans une pénombre rougeoyante. Dehors, l'éclairage public restait allumé.

Les enculés, finit-il par siffler entre ses dents tandis qu'elle prenait place à côté de lui pour le réconforter.

Il se prit la tête entre les mains pendant que Charlotte lui caressait le dos.

J'en reviens pas. Qu'ils aient fait ça, j'en reviens pas. Qu'ils aient pu être cons à ce point-là. Et dégueulasses, aussi. Se servir de moi. Nous foutre Diana et moi en danger pour une histoire de fric. Faut avoir le cœur bien accroché, de temps en temps.

Elle opina puis sortit un joint de sa poche de chemise si promptement qu'elle l'alluma avant qu'il ait eu le temps de faire ouf.

Moi, ce temps me déprime, soupira-t-elle. On dirait qu'il va faire nuit, mon jardin est trempé.

Ils se passèrent le joint en discutant à propos de la trahison, de l'amitié, de la vengeance, du désir.

Ce qu'elle lui avait raconté à propos de Serge et Joël était si déprimant qu'il lui savait gré de lui parler d'autre chose. Les femmes avaient quand même le don, elles avaient l'instinct, pas besoin de les briefer pendant des heures, songeait-il, elles savent reconnaître un homme blessé.

En tout cas, merci de m'avoir prévenu, Charlotte. Ton herbe est toujours aussi bonne, mais c'est surtout ta présence que j'apprécie. D'avoir quelqu'un à qui parler quand on prend comme je viens de prendre. Mais c'est ma faute, je suis trop con.

Elle lui caressa la joue. Il se tenait en avant, courbé par le dépit et sa nuit blanche. Il était sonné.

C'est pas bien, ce qu'ils t'ont fait, lui confia-t-elle en lui touchant le bras. Non, je suis pas d'accord, il y a des limites.

Et vouloir arnaquer des dealers, grogna-t-il. Ils sont pas un peu cinglés, tous les deux. Maintenant je comprends pourquoi le Walther. Ça lui donnait bonne conscience, tu parles, mais quel salaud. Tu sais, je ne devrais pas te dire ça, mais je te plains.

Elle soupira. Serge, c'est l'erreur de ma vie. J'étais une fille sans cervelle quand je l'ai rencontré, j'ai cru à tout ce qu'il m'a dit.

Tout en lui parlant, elle s'était rapprochée, pas vraiment collée à lui mais pas loin.

Laisse-les se débrouiller, dit-elle.

Il la regarda. Il la fixa, même. Puis il se leva d'un bond en lui disant suis-moi, je vais te montrer quelque chose.

Elle s'assit sur le bord de son lit pendant qu'il déhoussait un fauteuil, en dézippait le coussin et plongeait la main dans le rembourrage pour en sortir les deux paquets de coke dont il n'avait parlé à personne.

Il prit place à côté d'elle. Voilà, fit-il entre ses dents. Maintenant qu'ils se démerdent, qu'ils aillent se faire foutre.

On aurait dit que le jour ne parvenait pas à se lever, qu'un voile charbonneux recouvrait les alentours comme une cloche. Il la considéra un instant et se demanda si elle avait suivi ce qui se passait car elle n'en avait pas l'air, n'exprimait pas le moindre étonnement ni le moindre intérêt pour ce qu'il avait sorti de sa manche, ils étaient à présent épaule contre épaule, elle semblait sur une autre planète, ses yeux brillaient, son sourire chancelait.

Il se leva. Elle tendit sa main valide pour le retenir mais il n'en tint pas compte. Je vais te les emballer, dit-il en se dirigeant vers la porte.

Elle le retrouva accroupi dans la pénombre devant un placard de la cuisine, et s'avança vers lui tandis qu'il brandissait un sac isotherme en déclarant qu'il ferait l'affaire. Or, au lieu de s'arrêter, d'attendre quoi que ce soit, elle poursuivit son chemin et vint plaquer son entre-jambe contre la figure de Marc en lui maintenant la tête avec ardeur, comme s'il s'agissait d'une compresse émolliente.

Ah, okay, marmonna-t-il dans le fouillis de sa jupe en jersey.

Il avait déjà mis son nez dans le giron d'une fille mais n'avait pas éprouvé la nécessité d'aller plus loin. Non qu'il y fût allergique ou insuffisamment curieux, mais lorsque le cœur n'y est pas, que la déception risque de poindre, mieux vaut laisser tomber, ne pas se forcer et se réserver en vue de jours meilleurs. Aussi, quelle ne fut pas sa surprise lorsque ses bras se refermèrent autour des cuisses de Charlotte et plus encore lorsque ses mains lui emprisonnèrent les fesses.

Il me semble que nous avons le droit, n'est-ce pas, murmura-t-elle déjà pantelante en s'adossant contre la porte du frigo. Ils ne se gênent pas de leur côté.

Ça, il en convenait. Mais cet élan inattendu, cette barrière qui volait en éclats, ne cédait pas à quelque esprit de vengeance, de même qu'il ne pouvait tout mettre au compte du joint qu'il avait innocemment partagé avec elle. Il ricana dans sa barbe en songeant que cette lumière, qui soudain irradiait en lui, renversait tout sur son passage, avait choisi un jour aussi sombre pour se manifester.

Un peu plus tard, encore essoufflés par l'exercice, ils s'essuyèrent et se rhabillèrent avec le sourire.

Écoute, lui dit-il, j'ai quand même envie de leur dire deux mots.

Oui, mais tu sais, ce ne sont que deux imbéciles.

Non. Pas seulement.

Ils ont paniqué.

Pas seulement.

Il allait marquer d'une pierre blanche cette séance avec Charlotte, cette formidable révélation — même s'il avait moins apprécié les témoignages de tendresse, les baisers qui s'en étaient suivis et en particulier cette étreinte interminable qu'elle lui avait imposée sur le pas de la porte et à laquelle il s'était plié de bonne grâce, conscient de ce qu'elle lui avait apporté.

Il remonta dans sa chambre et s'allongea pour réfléchir.

Joël avait tout préparé. Il avait fait les courses de bon matin et il s'était plutôt bien débrouillé pour composer un vrai et beau repas, avec de vrais couverts, assiettes, verres, et nappe de tissu qu'il était allé chercher à l'appartement, une véritable folie de sa part, il avait failli se trouver mal une fois encore en y remettant les pieds, mais bon, il pensait que ça en valait la peine en voyant le résultat, il estimait qu'il n'avait pas souffert pour rien. Il espérait qu'elle aimait le crabe, le champagne. Il avait mis une cravate. Elle avait dix minutes de retard, la bougresse, elle se faisait désirer. Le ciel était bas, il faisait sombre, mais le chandelier était une riche idée, la flamme de la bougie atténuait la froideur du bureau, c'était presque un palais.

Denise lui avait vraiment tapé dans l'œil. Toute sa vie, il n'avait aimé que des femmes beaucoup plus jeunes, il n'avait jamais levé les yeux sur une femme de son âge, et voilà que Denise surgissait au milieu de la nuit et l'éblouissait au matin, maintenant que tout le monde l'avait lâché.

Il se versa un verre de vin blanc. C'était une année où il y avait eu beaucoup d'étoiles filantes, de comètes dans le ciel, et même le bétail, paraît-il, y avait été sensible, les lapins dans les champs, les corbeaux. Il ne voulait pas penser à l'ultimatum que leur avait balancé le reste de cette bande de connards. Où trouver l'argent. Ni Serge ni lui n'en avait la moindre idée. Sans doute leur faudrait-il s'armer et se barricader car les ados, ceux d'aujourd'hui, étaient tellement bourrés d'hormones qu'ils tiraient vite et n'aimaient pas discuter. La veille, il avait trouvé une mouette clouée sur sa porte.

Ça ne servait à rien d'y penser. Un miracle pouvait survenir. En tout cas, si après-demain était encore loin, cette soirée était là, maintenant, et il se jurait bien de l'apprécier jusqu'à la dernière goutte. Il leva son verre en l'honneur de Jane Fonda qu'il rêvait subitement de rencontrer.

Il tenta de joindre Denise deux ou trois fois. Un message indiquait que sa boîte était pleine. Il se félicita d'avoir prévu un repas froid. Il avait mis des draps propres. Ce n'était pas encore Noël mais il avait sans doute acheté la première guirlande de toute la ville. Il avait trouvé du Viagra sur internet, pour le cas où.

Il vida la moitié de la bouteille de blanc avant de commencer à tourner en rond autour de la table. Il sentait que bientôt ça lui tomberait sur l'estomac. Il se planta devant la baie. La trace des deux mains de Denise était encore visible, selon l'angle où l'on se trouvait. Il donna à manger aux mouettes, n'y trouva guère de plaisir. Il faisait nuit depuis un bon moment déjà mais la journée avait été lugubre, de sorte qu'on n'avait pas vu la différence. L'océan était lent et lourd, les bateaux se balançaient mollement le long des quais luisants et déserts.

Quand la bougie s'éteignit, il attrapa la nappe et flanqua tout par terre avec un rugissement de colère et de douleur. Puis il grimpa dans sa voiture et se mit à sillonner les rues, le port, l'avenue qui longeait les plages, à ralentir devant les bars, à lorgner l'entrée des hôtels louches, la tête en feu. Pourquoi lui faisait-elle ça, se lamentait-il. Est-ce que cette garce prenait goût à le faire souffrir. Ou était-il tout simplement damné en raison du sort qu'il avait réservé à la dépouille de Brigitte et ne lui restait-il plus qu'à se couvrir la tête de cendres et de poussière. Il se mordit le poing et s'arrêta dans un bar miteux, au fond d'une ruelle borgne, et commanda un alcool fort.

Il était deux heures du matin mais il avait complètement perdu la notion du temps. Dans une autre vie, il aurait appelé Marc depuis un bon moment et Marc serait là, assis à ses côtés, une main posée sur son épaule, et toutes les connasses du monde pourraient piaffer au-dehors sans

147

qu'il descendît de son tabouret ou leur adressât un signe, sinon un doigt d'honneur en s'épargnant de les regarder.

Il tomba sur elle alors qu'il était près d'abandonner, ivre de rage, de frustration et d'épuisement. Elle sortait d'un bar qui fermait et discutait sur le trottoir avec deux autres femmes — il faisait froid et elle était jambes nues, avait remonté le col de son blouson qu'elle tenait serré contre sa gorge. Il réprima une espèce de sanglot et se gara un peu plus loin en laissant tourner le moteur, régla son rétro pour ne pas la perdre de vue. Il s'essuya les yeux, ses mains tremblaient et sa respiration sifflait. Il avait envie de se jeter sur elle, ne sachant s'il désirait l'étreindre ou la démolir — plus d'une fois il s'était posé la question concernant Brigitte, jusqu'à ce qu'il trouve la réponse.

Au bout d'une minute, n'y tenant plus, il entrouvrit sa portière et se pencha sur le côté pour pisser. Malgré sa prostate qui commençait à lui jouer des tours, il envoya un jet puissant et fumant sur le trottoir désert. Mais il la vit tourner au coin de la rue avant d'avoir fini, s'affola, et dans sa précipitation il arrosa son pantalon et ses chaussures car lorsque les choses vont mal, il est rare qu'elles s'arrêtent en si bon chemin.

Il démarra en trombe et la rattrapa presque aussitôt. Il ralentit, fouilla la boîte à gants, les vide-poches, mais ne trouva rien pour s'éponger. Déglutir était pénible, serrer les dents devenait douloureux. Elle marchait lentement, d'un pas mal assuré. Il profita d'une rue tranquille pour se porter à sa hauteur.

Il baissa le carreau côté passager. Avant même d'ouvrir la bouche, il était déjà en sueur.

Denise, lança-t-il. Bon Dieu. Je te cherche partout.

Elle se pencha pour l'examiner. Elle avait bu, apparemment, et fronça les sourcils avant de le reconnaître.

Ah bon, fit-elle.

Je suis désolé. J'ai cherché à te joindre, je suis vraiment désolé. J'ai été bloqué sur un rond-point.

Elle haussa les épaules. Ce pays, on sait pas où il va, soupira-t-elle.

En tout cas, on dirait que la chance nous sourit. Monte. Je suis tellement content de te voir. Je me suis dit elle va m'en vouloir à mort.

Elle hésita. Tu as de la fièvre, demanda-t-elle.

Non, pourquoi.

Tu as l'air malade. Tu as les yeux rouges.

C'est rien. C'est sûrement les lacrymogènes. Mais tu es là et ça va nettement mieux. Monte.

Il se pencha pour lui ouvrir la portière.

Elle monta, un peu réticente.

Je ne vends pas de carnets, déclara-t-elle en attachant sa ceinture.

Bien sûr que tu ne vends pas de carnets. Des carnets de quoi.

J'ai trouvé ton argent, l'autre jour. Je veux dire, ça ne te donne pas droit à plusieurs tours.

Oh là là, bien sûr que non. Ça ne m'a pas traversé l'esprit.

Il lui toucha brièvement la cuisse et se fendit du plus

beau sourire de faux jeton qu'il pouvait lui proposer en de telles circonstances.

Ça sent la pisse dans cette voiture, remarqua-t-elle en fronçant le nez tandis que des feuilles mortes tourbillonnaient sur leur passage.

Elle-même sentait la vinasse et en temps normal il se serait arrêté pour la flanquer dehors séance tenante.

Oui, je sais, cette odeur d'ammoniaque. C'est mon garagiste. Il a essayé un nouveau produit sur mon tapis de sol. Mais il va m'entendre.

Écoute, on est dimanche. En général je prends pas de client le dimanche.

Bien sûr. Mais je suis pas un client, je suis le frère de Diana, on se connaît, on a le droit d'avoir un petit dîner amical.

Il ne savait pas comment il faisait pour arriver à conduire et pour tenir de tels propos. C'était comme un dédoublement. Il en frissonnait presque en arrivant.

Je resterai pas pour dormir, déclara-t-elle en descendant de voiture.

Très bien, je te ramènerai quand tu veux.

Il s'apprêtait à ouvrir la porte du hangar quand elle déclara qu'elle irait bien faire quelques pas le long des quais.

Oui, mais je ne sais pas, s'agaça-t-il. Il fait froid, tu n'es pas trop couverte.

Ça va aller. Je suis habituée.

Bon, comme tu veux, fit-il en enfonçant la clé dans la serrure. Mais on boit un verre d'abord. Je vais te passer quelque chose pour te mettre sur les épaules.

Si elle avait pu voir les flammes qui lui sortaient des narines à cet instant, elle aurait sans doute pris peur.

Les bateaux sur cale luisaient dans l'obscurité, à peine découpés par le fil d'un vague halo lunaire provenant d'une verrière en direction de laquelle Denise, les mains dans les poches de son blouson, levait machinalement les yeux lorsqu'elle entendit un bref et infime sifflement.

Elle se sentait assez ivre, mais pas au point de trahir la promesse qu'elle avait faite à Diana le matin même. Se tenir à distance de Joël, l'éviter comme la peste. Mais elle n'avait pas prévu qu'il se mettrait en chasse après elle et il l'avait coincée. Réactif, l'animal. Elle se jura qu'elle serait plus prudente la prochaine fois.

Le sifflement était dû à une planche fendant l'air et qui la frappa en pleine tête. Elle en exécuta un demi-tour complet sur elle-même et une gerbe de sang gicla sur la coque blanche d'un Antares et commença à couler. Joël lâcha la planche et se retourna vivement pour refermer à clé derrière lui.

Il se sentait brûlant mais tout à fait lucide. On ne se fichait pas de lui impunément. On ne l'envoyait pas promener comme s'il n'existait pas. Brigitte aussi avait dépassé les bornes à un moment et voilà ce qui arrivait.

Il examina rapidement Denise qui saignait des deux oreilles et bougeait encore un peu et râlait faiblement, les mains toujours dans les poches. Il regarda sa montre. Il ne fallait pas traîner. Il ôta sa cravate sans défaire le nœud et la passa au cou de Denise. Au moins, cette femme, il ne la jetterait pas à l'eau, elle pouvait mourir tranquille. Il lui baissa son slip et entreprit de la baiser en empoignant le nœud de cravate auquel il donna un tour de vis.

Quand il eut terminé et qu'elle eut rendu son dernier souffle, il ne s'éternisa pas. Il se sentit de nouveau très seul.

Et très fatigué, très fatigué. Épuisé, fiévreux, les jambes molles, la bouche sèche, les yeux comme frappés de conjonctivite, mais sa rage s'était envolée. Ce n'était pas, néanmoins, le moment de se reposer. Il y avait du ménage à faire et l'heure tournait. Dimanche, quatre heures du matin. Il tombait une pluie fine, serrée comme de la soie. Il baissa un instant les paupières, aussi râpeuses que de la toile émeri, s'appuya au mur, écouta son cœur battre. Il se secoua. Juste à temps pour effectuer un pas de côté avant que le sang que perdait Denise n'atteigne la pointe de ses chaussures.

Il lui vida les poches — téléphone, clés, carte d'identité, etc. — et déposa l'ensemble sur un casier à outils, puis il étala une bâche sur le sol et enveloppa Denise. Il n'éprouvait rien du tout, pas de remords, pas de dégoût, pas de fébrilité particulière. Mais il se sentait à bout de forces et il lui sembla qu'elle pesait des tonnes lorsqu'il dut la traîner jusqu'à la porte.

Il n'y avait pas un chat dehors. Il sortit, s'arrêta quelques secondes sous la pluie, se lécha les lèvres, puis il ouvrit le coffre de sa voiture et retourna chercher Denise. Qu'il eut toutes les peines du monde à charger sur son épaule, au point qu'il en grogna sous l'effort et faillit partir à la renverse avec elle en lâchant une bordée de jurons.

Il la fourra dans le coffre, lui replia les jambes, referma, verrouilla, inspecta les alentours et demeura immobile, dégoulinant d'une pluie silencieuse. Mais il n'en avait pas pour autant terminé avec son nettoyage. Elle avait abondamment saigné. Il aurait donné cher pour se mettre au lit. Plus tard, se promit-il, plus tard, oui.

Il retourna à l'intérieur. Il avait l'impression d'être un jouet dont les piles commençaient à lâcher. Il se mit pourtant en quête du bazar nécessaire au ménage qu'il avait encore sur les bras et la tâche ne fut pas agréable. Non que le sang de sa victime éveillât en lui une once de culpabilité ou de répulsion. Pas plus que le reflet de son visage dans la flaque sombre dont il suffisait de ne pas croiser le regard. En revanche, l'exercice se révéla plus long et plus laborieux que ce qu'il avait anticipé. Le sang collait, poissait, s'étalait, se diluait à l'envi, s'immisçait dans les fissures du sol en béton et il avait beau s'activer à genoux avec une brosse à chiendent, employer des rouleaux entiers d'essuie-tout, il en restait toujours. Il n'en pouvait plus. Ses yeux se fermaient tandis qu'une de ses mains astiquait et que l'autre lui servait d'appui. Ses genoux vivaient un enfer. Ce n'était plus tant de dormir qu'il s'agissait, mais de sombrer dans un puits sans fond vibrant de rumeurs effroyables.

Quoi qu'il en soit, il en vint à bout. Bien malin celui qui aurait détecté la moindre trace de son forfait sur le sol. Il resta assis par terre, se demanda s'il allait à présent trouver la force d'emporter Denise vers sa dernière demeure. Il ne souhaitait pas abandonner mais l'idée de mener à bien l'opération le fit doucement sourire. Il ne parvenait même plus à se lever, son corps se désintégrait, se vaporisait dans l'espace. C'est avec peine qu'il recula jusqu'au mur et s'y adossa. Et bascula dans un profond sommeil.

Eh bien ça, Marc n'aurait pas su dire. Ils prenaient leur petit déjeuner ensemble, le dimanche. Et celui-là n'était que le plus récent d'une longue liste, un rituel, toujours le même. Patrick l'avait mis presque aussitôt en place, dès qu'ils s'étaient mariés, et Marc et elle avaient continué. Tout ça pour dire qu'il se sentait en terrain connu et qu'il était sensible au moindre changement d'ambiance, au plus petit détail. Et là, rien. Ou plutôt si, mais c'était tellement vague. Il avait plu toute la nuit, enfin pas trop fort, de sorte qu'il avait passé une nuit convenable, rêveuse par moments. Il en était à son troisième jus d'orange et il avait quadrillé toute la pièce en vain et scruté Diana, de l'autre côté de la table, plongée dans un magazine, éclatante, mais il n'y avait rien de nouveau dans tout ça.

La veille au soir, il lui avait tout raconté — en dehors de la mort de Brigitte, bien entendu, parce que ça, il ne pouvait pas, pour diverses raisons. Ils avaient assez longuement discuté et il n'avait rien senti de particulier. Pour le reste, elle n'avait pas trop tiqué lorsqu'il avait tiré les deux paquets de coke de son chapeau, sauf qu'il les lui avait cachés, c'était surtout ça qu'elle n'aimait pas, mais elle avait approuvé la manière dont il voulait les utiliser, elle était d'accord, elle voulait qu'ils se débarrassent de cette histoire. Quant à Joël et Serge, elle avait refusé d'en parler — il s'était dit qu'il attendrait son heure.

En fait, c'est elle qui ce matin lui mit la puce à l'oreille. Elle leva soudain le nez de son magazine et lui demanda ce qu'il avait.

Et comme il ne répondait rien, interloqué, elle ajouta qu'il avait quelque chose de drôle, mais elle ne savait pas quoi au juste. Peut-être qu'elle se trompait.

Il y réfléchit un instant avant de se lever. Il examina de nouveau Diana qui avait repris sa lecture, afin de s'assurer que ce subtil changement ne venait pas d'elle. Mais si ça venait de lui, le mystère était complet.

Cependant, il avait pour l'heure d'autres chats à fouetter. Il attrapa les deux paquets de poudre et s'en alla trouver Joël pour les lui remettre. Il ne pleuvait plus mais tout était trempé, les palmiers s'égouttaient sur l'avenue, une mousse jaunâtre ridait la plage, les jardins gorgés d'eau ruisselaient sur les trottoirs. Il s'était allégé d'un poids en mettant Diana au courant de ce qui s'était tramé dans leur dos et il s'en réjouissait. Il ne voulait pas avoir de secrets pour elle. Il comptait d'ailleurs lui dire qu'il avait eu une relation avec Charlotte — quand serait venu le temps où l'on pourrait parler des siennes avec Serge. À cette pensée lui revint en mémoire cette lumière qui l'avait envahi au bout du compte, son étrange intensité, et il se demanda si ça pouvait avoir un rapport avec cet improbable changement que Diana avait perçu chez lui, comme s'il avait avalé de l'uranium, comme si quelque chose irradiait autour de lui. Personnellement, ça ne le gênait pas, il se sentait même en forme. Ce ciel bas, sombre, cette lumière voilée, ces gens gris sous les parapluies, ça devenait une plaisanterie.

En se garant devant le hangar, il eut un petit pincement au cœur car cette histoire était finie, il n'y remettrait plus les pieds, il en aurait fini avec Joël. Il n'en gardait pas que des mauvais souvenirs, loin de là. Ça remplissait quelques carnets. Qu'est-ce que Patrick aurait pensé de ce qui se passait, de la boue que tout ça avait remuée.

Il ouvrit la porte du hangar et monta directement au bureau de Joël. Qui était en train de ramasser les divers débris qui jonchaient le sol. Il était hirsute, portait un jogging et des bottes de caoutchouc. Il considéra Marc d'un regard mauvais.

Qu'est-ce que tu fous ici, marmonna-t-il.

Marc balança les deux paquets sur le bureau.

Ma contribution à vos magouilles de merde, dit-il.

À la vue des deux paquets de poudre, Joël se détendit un peu. Il bafouilla sa surprise en trois mots et quelques points de suspension que Marc balaya aussitôt d'un geste.

J'ai pas le temps de discuter avec toi, ni de te donner d'explication. Je sais dans quel merdier vous pataugez. Et merci de vous être défaussés sur moi, merci aux deux connards que vous êtes. Mais je suis pas tombé de haut, pour être franc.

Joël avait visiblement du mal à quitter des yeux les paquets qui avaient atterri sur son bureau, de même qu'à cacher sa piètre satisfaction.

156

Marc, soupira-t-il. Bon. Attends.

Non, j'attends rien. Trouve rapidement quelqu'un pour me remplacer. Et j'allais oublier, je regrette de t'avoir connu. C'est surtout ça.

Joël, qui ne semblait déjà pas très frais, se décomposa. Aaah, gémit-il, dis pas ça.

Ah non, feignit de s'interroger Marc. Je me serais coupé une main pour toi. Tu as bien fait d'annoncer la couleur. Mais je suis encore jeune, comparé à toi, j'ai encore du temps pour apprendre.

Sur ce, il fit demi-tour et se dirigea vers la sortie.

Elle t'a parlé, c'est ça, maugréa Joël.

Marc ouvrit la porte. Va au diable, répliqua-t-il sans se retourner.

En redescendant, mâchoires serrées, plein d'amertume, il ralentit et se figea sur la dernière marche. Il venait de remarquer une large tache sombre sur la coque de l'Antares en exposition mais il ne voyait pas très bien de quoi il s'agissait car la lumière du jour était encore vague à l'intérieur du hangar. Il s'avança en plissant les yeux.

Il grimaça, c'était du sang, une éclaboussure de sang à peine séché qui le laissa un instant interdit. Mais il n'eut pas l'occasion de s'interroger davantage car autre chose attira son attention, de l'argent, un téléphone, des clés, des papiers d'identité déposés en vrac sur un casier à roulettes. Il se raidit en examinant chaque élément de plus près, submergé par l'avalanche de questions que leur découverte impliquait. Il leva lentement les yeux, empocha le téléphone et sortit sans attendre.

Il s'efforça de marcher d'un pas tranquille jusqu'à sa voiture tandis que ses épaules s'affaissaient sous le poids de la convergence des horreurs qui lui traversaient l'esprit comme des fusées d'étoupe enflammées. Il jeta de nouveau un coup d'œil furtif en direction du bureau de Joël avant d'ouvrir sa portière. Il se tenait là, immobile et maléfique, en partie caché dans l'ombre des doubles rideaux, à l'observer.

Marc démarra, s'engagea sur l'avenue qui bordait l'océan moutonneux, et une fois hors de vue il fit demi-tour et revint se garer à proximité du quai, derrière un bouquet de tamaris aux troncs éventrés mais tenaces — sa Volvo vert cyprès se prêtait, en l'occurrence, parfaitement au camouflage — et il coupa le contact, il avait besoin de respirer.

Il s'accorda une cigarette. Il repensa aux choses qu'il avait vues, aux traces de sang, aux affaires appartenant à Denise — dont sa carte d'identité —, à la folie furieuse qui semblait s'être emparée de Joël. Il était devenu fou. Ou peut-être l'avait-il toujours été. C'était difficile à dire. Il repensa aux bottes de caoutchouc qu'il portait aux pieds, des grosses bottes de chantier. Il ouvrit son carreau pour la fumée. Il ne quittait pas le hangar des yeux. Il se demandait s'il n'allait pas un peu trop vite en besogne. Mais non, c'était accablant. L'air avait le parfum des tamaris. Il avait buté cette femme, c'était l'évidence même. Diana lui en avait parlé pas plus tard qu'hier, une ancienne copine, et voilà, c'en était fini pour elle. Il écrasa sa cigarette. Il repensa à Joël et ses histoires de tombes. Ça se tenait.

Il appela Diana et lui déclara écoute, c'est vraiment grave.

Je m'en doutais. Vous vous êtes engueulés, j'en étais persuadée.

Non, écoute-moi. Assieds-toi. Joël est devenu fou. C'est vraiment très grave. Diana, je sais pas comment te le dire. Il a tué Denise. Je suis sous le choc. Allô. Allô, allô.

Oui, je suis là.

Je suis dans le bosquet de tamaris, à l'entrée du parking. Je sais pas, j'attends de voir ce qu'il fait. C'est abominable, non. Allô.

Oui, je suis là dans dix minutes.

Écoute, ça sert à rien. Je veux juste voir ce qu'il fabrique.

Marc, n'essaie pas de m'empêcher de venir, tu perds ton temps.

Il se caressa le menton. Bon, dit-il, je te conseille de mettre tes bottes de caoutchouc.

D'accord, très bien, dit-elle.

Elle allait raccrocher mais il la rattrapa de justesse.

J'ai failli oublier, dit-il. Si tu peux prendre les miennes. Elle arriva très vite. Il ne faisait pas beau, il faisait un peu froid, les gens étaient chez eux, les boutiques étaient fermées, le parking désert.

Elle était pâle comme une morte. Quand elle changea de voiture et qu'elle frappa à son carreau pour qu'il lui ouvre, il pensa à la Dame Blanche, sauf que Diana était beaucoup plus belle.

Elle balança les bottes sur le siège arrière et garda son sac serré contre son ventre.

C'est sacrément dur à avaler, dit-il.

Elle frissonna. Ne me dis pas que c'est un malade. Je ne veux pas entendre ça. Je ne suis pas venue pour le conduire à l'hôpital.

Est-ce que tu plaisantes, dis-moi.

Ils bataillèrent un instant mais il réussit à s'emparer de son sac. Il y avait un risque pour qu'elle s'acharne sur lui, profitant qu'il regardait à l'intérieur, mais il le prit. Les yeux fixés sur ledit sac, il en détendit les cordons et l'ouvrit sans que Diana mène une nouvelle charge à son encontre. Et bien entendu, le Walther était là. Il soupira en le fourrant dans sa poche.

Je ne peux pas te laisser faire ça, dit-il. Réfléchis. On sait pas où elle est. Il est le seul à savoir. On n'est même pas sûrs qu'elle soit morte. J'ai dit ça, j'en sais rien. Je pense qu'elle est morte. Je pense. Elle aurait pas abandonné ses affaires. On doit attendre, on doit voir un peu ce qui se passe.

Elle se laissa quelques secondes de réflexion. Elle savait qu'il avait raison.

Bon, dit-elle en récupérant son sac, très bien. Nous allons attendre. Mais tu ne te mets pas à ma place. Tout remonte. Toute l'horreur.

Il lui proposa de mettre du chauffage, si elle voulait. Elle fit non de la tête et croisa avec humeur les pans de son manteau sur elle.

Ils gardèrent le silence, le visage fermé, leur attention

braquée sur le hangar. Elle m'avait promis de ne plus le revoir, déclara Diana au bout d'un moment.

Il lui tendit le téléphone de Denise décoré d'un angelot, de petits cœurs ailés. Il l'a appelée plusieurs fois dans la soirée, déclara-t-il, j'ai vérifié. Elle n'a pas répondu.

Elle s'était recroquevillée sur son siège. Il lui prit la main, et contrairement à ce qu'il craignait elle ne se déroba pas. On ne va pas le laisser filer, jura-t-il, ne t'inquiète pas.

Rassuré par l'accueil qu'elle lui réservait après leur escarmouche et voulant pousser son avantage, il passa un bras par-dessus l'épaule de Diana et l'attira contre lui pour la réconforter.

Tu es tout chaud, lui fit-elle remarquer.

Ce dingue me rend fébrile, murmura-t-il en respirant tout près de son cou.

C'était de plus en plus étrange, à moins qu'il ne couve quelque chose. Cette attirance d'un nouveau genre qu'il ressentait pour elle. Rien de très surprenant, néanmoins, puisqu'en tout état de cause cet inoxydable penchant perdurait depuis le premier jour. Mais pas de façon si prégnante, pas avec une telle, déstabilisante acuité.

Quoi qu'il en soit, et bien que Diana ne manifestât aucun signe d'impatience, il relâcha à regret son étreinte car la situation ne se prêtait guère à l'introspection sentimentale.

Diana aurait pu lui expliquer ce qui se passait, sur ce point précis, et qui était au cœur de leur relation. Elle avait rassemblé suffisamment d'indices probants, ces derniers temps, les avait très vite identifiés, tandis que Marc les

161

examinait un par un, sans faire le lien. Il n'avait pas encore de vue d'ensemble, peut-être lui fallait-il quelques jours supplémentaires, quelques semaines avant qu'il n'ouvre les yeux. Elle ne voulait rien précipiter. Elle savait qu'elle devait se montrer patiente. Ne pas courir devant et attendre qu'il la rejoigne. Qu'il comprenne qu'elle n'avait jamais été ni sa sœur ni sa mère, et qu'elle ne le serait jamais. Mais ce n'était pas joué. Tous les obstacles n'étaient pas levés et leur taille faisait craindre qu'on ne puisse les renverser. Mais elle gardait confiance, elle croisait les doigts. Seul le tic-tac de l'horloge se précipitait.

Pendant ce temps, les nuages s'enfonçaient dans les terres, le ciel s'éclaircissait et restait bleu pâle. Il n'y avait pas la moindre activité sur le port. Ça n'avait pas la même gueule qu'en été, ça faisait poulet déplumé d'après lui, mais ça avait son charme, ça reposait des cartes postales, l'océan devenait plus grand, les odeurs venaient de la végétation — oubliées, l'huile solaire et les gaufres —, le manège était fermé sur la place ainsi que le casino qui était en travaux.

Puis enfin ce taré montra le bout de son nez.

Il portait un k-way siglé d'une marque de pneus, une combinaison de l'atelier et ses bottes. On aurait dit un Martien. Diana se figea en le voyant et Marc la surveilla du coin de l'œil tandis qu'elle retenait sa respiration.

Joël huma l'air un instant sur le pas de la porte, observa les alentours puis, un baluchon à l'épaule et une pelle pliante sous le bras, il ferma le hangar derrière lui.

Okay j'ai compris, déclara Marc avant qu'elle ne

bleuisse. Il va l'enterrer. Bon Dieu, on y va, ce con va l'enterrer.

Diana reprit son souffle comme si elle remontait du fond d'une piscine. Il démarra. Mets ta ceinture, lui dit-il.

Ils pataugèrent dans la boue. Une boue sombre et dense qui avait la couleur et la consistance d'une mousse au chocolat de mauvaise qualité, pleine de grumeaux. Ils piétinaient pour sortir de la lagune à travers laquelle Joël les avait entraînés — dans une eau maigre, croupissante, frangée de dépôts salins, bordée de broussailles, de bruyères, de ronces, de massifs épineux enchevêtrés.

Ils l'entendaient ahaner, frapper le sol, creuser quelque part dans la pinède qui se dressait à présent devant eux. Ils ne le voyaient pas mais il n'était pas loin. Diana s'était demandé comment son foutu frère pouvait avancer si vite, lesté de son macabre fardeau, quand elle peinait à chaque pas, accrochée au bras de Marc, et qu'elle devait dégager chacun de ses pieds l'un après l'autre de cette boue presque vivante avec un infâme bruit de succion.

Le jour commençait à baisser, le soleil blanc, taciturne, rasait l'horizon. Le chuintement lointain du ressac leur parvenait malgré les dunes qui leur masquaient l'océan. Avant d'aller plus loin, Marc sortit le Walther de son étui et le glissa dans sa ceinture. Diana le regarda faire sans dire un mot, mais d'un regard vibrant, sans cesser de frotter sa cuisse gauche qui la lançait.

Marc se réveilla un peu avant l'aube. Il se leva et descendit à la cuisine pour boire un Perrier. Il examina sa blessure qui n'était pas grave et que Diana avait nettoyée avec soin dès qu'ils étaient rentrés. Il s'en était quand même fallu de peu. Il laissa retomber son tee-shirt et se posta devant la fenêtre cependant que le ciel s'éclaircissait.

Les évènements qui venaient de se dérouler avaient réuni leur content de violence, de trahison, de folie, de mort aussi, mais Marc ne parvenait pas à en saisir le poids. Peut-être était-il encore trop tôt, peut-être ne pouvait-on pas tout digérer d'un coup. Peut-être l'ordre des choses avait-il été bousculé. Comment savoir. Ses traits se détendirent et il secoua la tête. Il aurait aimé se sentir plus concerné, mais ça ne se commandait pas.

Il n'allait pas pleurer Joël. Personne n'allait pleurer Joël, de toute façon. Il avait eu ce qu'il méritait. Il avait dû enfin comprendre ce que ça faisait d'être étranglé. Non pas que Marc eût pour dessein de lui rendre la pareille. Ça s'était trouvé ainsi. La gorge de Joël s'était trouvée entre ses mains et il ne l'avait plus lâchée.

Tout ça appartenait déjà au passé et le passé ne l'intéressait plus. Enfin beaucoup moins. Assis à la table, pianotant sur le formica, il expliqua la situation à Patrick sans rien laisser au hasard et sans se laisser interrompre. Avec courage et fermeté.

Voyant que le jour n'allait pas tarder, il termina son exposé au plus vite, abandonna les fioritures et envoya un baiser en l'air pour prendre congé de son frère car il voulait jeter un coup d'œil au cabinet avant l'arrivée de Claudie.

En bas, il mit le nez à la porte d'entrée pour avaler un peu de fraîcheur et il fut surpris par la saveur de l'air. L'avenue était encore silencieuse et déserte. Puis il entra dans le cabinet, releva une chaise, vida la poubelle, passa un linge humide sur le fauteuil où des tas de gens avaient souffert, vaporisa un parfum dans l'espace et il remonta à l'appartement. Il termina son Perrier puis garda un instant les mains croisées derrière la tête.

Après quoi il remonta dans sa chambre. Et il était à l'heure au rendez-vous, le jour commençait à percer entre les rideaux, envoyant une lumière timide qui révélait Diana endormie dans son lit à lui et pas dans le sien — ce point de détail est d'importance, il faut s'assurer d'avoir bien compris, d'avoir bien lu, car c'est si énorme qu'on risque de passer à côté. Bref, c'était une bonne nouvelle, une formidable nouvelle. C'était une libération.

Il ne comprenait pas encore très bien ce que tout ça signifiait, mais une chose était sûre, ils avaient passé une nuit d'enfer. Toutes les barrières s'étaient effondrées d'un coup tandis qu'elle terminait son pansement et plus rien ne les avait arrêtés. Ce qui avait été absolument impossible depuis le début devenait soudain si facile à présent que c'en était hallucinant.

Il se déshabilla de nouveau et se coucha contre elle. Il avait envie de la prendre une fois de plus mais il attendit qu'elle se réveille. Il n'était pas pressé. Le plus dur était fait. Il avait récupéré les deux paquets de cocaïne quand ils avaient laissé le corps de Denise au hangar et il ne restait plus à Serge, pour sauver ses fesses, qu'à s'arranger avec la bande. Qu'il se démerde. Puis il mit fin à ses réflexions car elle ouvrit un œil, se tourna vers Marc et lui sourit.

Œuvres de Philippe Djian (suite)

BLEU COMME L'ENFER, *roman*, 1983.

ZONE ÉROGÈNE, *roman*, 1984.

37°2 LE MATIN, *roman*, 1985.

MAUDIT MANÈGE, *roman*, 1986.

ÉCHINE, *roman*, 1988.

CROCODILES, *histoires*, 1989.

LENT DEHORS, *roman*, 1991 (Folio, n° 2437).

Chez d'autres éditeurs

LORSQUE LOU, 1992. *Illustrations de Miles Hyman* (Futuropolis/Gallimard).

BRAM VAN VELDE, *Éditions Flohic*, 1993.

ENTRE NOUS SOIT DIT: CONVERSATIONS AVEC JEAN-LOUIS EZINE, *Presses Pocket*, 1996.

PHILIPPE DJIAN REVISITÉ, *Éditions Flohic*, 2000.

ARDOISE, *Julliard*, 2002.

DOGGY BAG, *Éditions 10-18*, 2007.

LUI, *Éditions de l'Arche*, 2008.

LA FIN DU MONDE, avec Horst Haack, *Éditions Alternatives*, 2010.

Composition : IGS-CP à L'Isle-d'Espagnac (16)
Achevé d'imprimer
par CPI Firmin-Didot
à Mesnil-sur-l'Estrée, en avril 2019
Dépôt légal : avril 2019
Numéro d'imprimeur : 152082

ISBN : 978-2-07-014322-1/Imprimé en France

257042